Wie verbessere ich meine Arbeitstechnik?

Ratschläge für Schreibtisch- und andere Menschen

Henry F

Verlag des Schweizerischen
Kaufmännischen Vereins, Zürich

SKV-Taschenbuch Nr. 50

1975

Druck: Genossenschaftsdruckerei, Zürich
Einband: Grossbuchbinderei Hch. Weber AG, Winterthur
Umschlaggrafik: August Bingesser, Egg

Inhaltsverzeichnis

1 Zeit gewinnen durch bessere Arbeitstechnik

1.1 Arbeit und Arbeitstechnik

Der Amerikaner Frederick Winslow Taylor lebte von 1865 bis 1915. Er führte, organisierte und rationalisierte industrielle Unternehmungen, hielt Vorträge, schrieb Bücher und ging als Begründer der wissenschaftlichen Betriebsführung und als Vater der industriellen Rationalisierung in die Geschichte der Betriebswissenschaft und in die kleinen und grossen Lexika ein.
Meine Grosseltern waren Zeitgenossen dieses berühmten Mannes, allerdings durch die Weite des Atlantiks von ihm getrennt. Auch führten sie keine industriellen Unternehmungen, hielten keine Vorträge und schrieben keine Bücher. Sie waren demzufolge in keiner Art und Weise berühmt und sind deshalb auch in keinem Lexikon zu finden. Sie wussten nichts von Taylor und Taylor nichts von ihnen. Das einzige Gemeinsame besteht darin, dass alle drei zur selben Zeit dasselbe taten, Taylor im grossen Stil, meine Vorfahren bescheiden für den Eigengebrauch.
Meine Grosseltern führten einen für die damalige Zeit grossen, nach unseren heutigen Supermarkt-Begriffen eher kleinen Laden, in dem man fast alles kaufen konnte, was damals zum täglichen Bedarf gehörte: Lebensmittel, Stoffe, Stricknadeln, Regenschirme, Petrol für die Lampen und sonst noch eine Menge Dinge. An der einen Ladentheke erhielt man, was abgewogen und abgefüllt werden musste, an der zweiten Theke das, was es damals schon vorverpackt gab, und an der dritten und vierten Theke Textilien aller Art.
In ihrem kleinen Wirkungskreis strebten sie an, was sich Taylor in einem bedeutend grösseren Bereich zum Ziel gesetzt hatte, nämlich die Vermeidung unnötiger Anstrengungen und die Ausmerzung aller Leerläufe. Liess sich beispielsweise eine Kundin mehrere Stoffballen zur Auswahl vorlegen, dann wurden die ihr nicht zusagenden Dessins gleich in die äusserste Ecke der Ladentheke geschoben und damit bereits aus der Wahl ausgeschieden. Holten

sie weitere Dessins, trugen sie gleichzeitig die ausgeschiedenen Stoffballen zurück und ordneten sie in die Stoffregale ein. Was am Schluss auf dem Verkaufstisch lag, befand sich in der engeren Wahl.
Diese fast spielerisch anmutende Kundenbedienung war in Wirklichkeit ein ausgeklügeltes und rationelles Arbeitssystem, das gleich mehrere Vorteile aufwies:

- Weil bei jedem Gang zu den Regalen nicht mehr Benötigtes zurückgetragen wurde, entstanden keine Leergänge.
- Was für die Kundenbedienung nicht mehr benötigt wurde, kam auf diese Weise unverzüglich in die Regale zurück und war sogleich wieder anderweitig verfügbar.
- Der Platz auf der Verkaufstheke wurde nicht unnötig belegt und konnte für das wirkungsvolle Auslegen derjenigen Dessins benützt werden, die Interesse fanden.
- Kunde oder Kundin behielten den Überblick über das, was sie in die engere Wahl gezogen hatten, und wurden nicht von bereits ausgeschiedenen Dessins abgelenkt. Die Wahl wurde ihnen dadurch erleichtert und der Verkaufsvorgang verkürzt.
- Nach Beendigung der Kundenbedienung blieb nur noch wenig wegzuräumen. Der nächste Kunde konnte sogleich nach seinen Wünschen gefragt werden, und das Wegschaffen des noch Verbliebenen wurde gleich mit dem ersten Bedienungsgang für den neuen Kunden verbunden.

Warum ich Ihnen diese alte Geschichte erzähle?
Nun, weil es eigentlich gar keine alte Geschichte ist. Sie spielte sich zwar vor über einem halben Jahrhundert ab, doch ist ihr Inhalt heute genau so aktuell wie damals, denn es hat sich in dieser Beziehung seither kaum etwas geändert. Woran das wohl liegen mag?
Haben Sie, verehrter Leser, beachtet, dass Ihnen soeben eine Frage gestellt wurde?
Haben Sie über die Frage nachgedacht?
Haben Sie darauf eine oder gar mehrere Antworten gefunden?
Ist die Frage mit diesen Antworten geklärt?
Wenn Sie die vier Fragen mit ja beantworten können, dann dürfen Sie dieses Buch jetzt zuklappen und auf die weitere Lektüre verzichten, denn es kann Ihnen nichts bieten, das Sie nicht ohnehin herausfinden würden. Wenn Sie diese vier Fragen wirklich alle be-

jahen konnten, gehören Sie nämlich zu der eher kleinen Zahl von Menschen, denen der ausgeprägte Sinn für rationelle Arbeitstechniken gewissermassen mit in die Wiege gelegt wurde.
Wahrscheinlicher ist jedoch, dass Sie die Frage zwar durchaus bemerkten, sich jedoch nicht persönlich angesprochen fühlten. Weil Sie annahmen, die Antwort im nachfolgenden Abschnitt zu finden, hielten Sie beim Lesen nicht inne, dachten über die Frage nicht nach und fanden demzufolge auch keine Antwort darauf. Warum sich in den letzten fünfzig Jahren in der persönlichen Arbeitstechnik nicht viel geändert hat, ist somit für Sie noch ungeklärt.
Möglicherweise beginnen Sie jedoch bereits zu ahnen, warum es so ist.

1.2 Gründe für unrationelles Arbeitsverhalten

Als Alexander von Humboldt, der sich als Naturforscher auf ausgedehnten Reisen in Europa, Asien und Amerika gründliche Kenntnisse vieler Länder und Völker aneignete, befragt wurde, welches denn die hervorstechendste gemeinsame Eigenschaft der Angehörigen dieser doch zum Teil recht unterschiedlichen Völker sei, antwortete er ohne zu zögern: «Die Faulheit.»
Diese Antwort erfolgte vor über hundert Jahren aus dem Mund eines Mannes, der sich selber durch grossen Fleiss auszeichnete und deshalb vermutlich rasch geneigt war, Nichtfleissige der Faulheit zu bezichtigen. Ob der Mensch lebt, um zu arbeiten, oder ob er arbeitet, um zu leben, darüber wurde schon viel philosophiert und auch gestritten. Einig scheinen sich die Fachgelehrten darüber zu sein, dass rationelles Arbeiten dem Menschen nicht angeboren und demzufolge auch nicht selbstverständlich ist. Die amerikanische Anthropologin Margaret Mead begründet dies wie folgt:
«In einer postfigurativen Kultur (in der Kinder primär von ihren Vorfahren lernen) geht Wandel so langsam und unmerklich vonstatten, dass Grosseltern sich für ihre neugeborenen Enkel keine andere Zukunft vorstellen können als ihre eigene Vergangenheit. Die Vergangenheit der Erwachsenen ist die Zukunft einer jeden neuen Generation; ihr Leben bildet den Grundplan. Die Zukunft der Kinder wird so gestaltet, dass sie nach dem Abschluss ihrer Kindheit das erleben werden, was die Vorfahren nach Abschluss ihrer Kindheit erlebt haben. Postfigurative Kulturen, in denen die Älte-

ren sich keinen Wandel vorstellen und ihren Nachkommen deshalb auch nur ihren eigenen Begriff von ungebrochener, wandlungsfreier Kontinuität vermitteln können, waren – nach unserem derzeitigen Beweismaterial zu urteilen – seit Jahrtausenden oder bis zum Beginn der Zivilisation für menschliche Gesellschaften charakteristisch.»[1]

Daraus ergibt sich folgendes: Ahmt der Mensch nur nach, was ihm vorgemacht oder vorgeschrieben wird, handelt er also nach Überlieferung oder Gewohnheit, dann stellt er kaum Überlegungen über die zweckmässigste Ausführungsart seiner Arbeit an. So wurde es immer gemacht, und deshalb ist es die übliche oder gewünschte Art der Ausführung. Warum sich also darüber den Kopf zerbrechen?

Erschwerend kommt noch eines dazu: In unserer arbeitsteiligen Wirtschaft kann ein Einzelner seine Tätigkeit nicht nach Belieben ändern, wenn sie eine Teilleistung im Rahmen einer grösseren Gesamtleistung darstellt. Fixiert ist dabei vor allem das Leistungsergebnis, nicht unbedingt aber auch die Art und Weise, wie dieses Ergebnis erreicht werden kann. Weil die Menschen eher geneigt sind, zu verallgemeinern als zu differenzieren, und weil eine gewisse Trägheit unverkennbar mitspielt, sind sie nur zu rasch bereit, alles als gegeben und unveränderlich zu betrachten. Das vereinfacht für sie die routinemässige Abwicklung. Deshalb wird kaum mehr geprüft, wie weit sie ihre Tätigkeit frei gestalten können und in welcher Beziehung sie an genaue Ausführungsvorschriften gebunden sind.

Schliesslich darf auch nicht ausser Acht gelassen werden, dass Denken eine Anstrengung bedeutet. Warum, darauf kommen wir noch zurück. Wer Anstrengungen gern ausweicht, der zerbricht sich kaum den Kopf über eine bessere Arbeitstechnik.

1.3 Vom Wert der Zeit

An einer Verbesserung der Arbeitstechnik sind vor allem diejenigen interessiert, die einen grossen, vielleicht sogar zu grossen Aufgabenbereich zu bewältigen haben und deshalb mit ihrer Arbeitszeit immer arg in Bedrängnis geraten. Von einer besseren Ar-

[1] Margaret Mead: Der Konflikt der Generationen. Olten und Freiburg i. B.: Walter 1971.

beitstechnik erhoffen sie sich eine raschere, zeitsparende Arbeitsabwicklung und damit einen Zeitgewinn. Die Überlegung ist richtig, doch wird es zweifellos Leser geben, die auch nach der Durcharbeitung dieses Buches nicht mehr Zeit haben werden, und zwar nicht etwa, weil die Ratschläge nichts taugen, sondern weil die gewonnene Zeit gleich für neue Aufgaben eingesetzt wird. In diesem Fall ist das Ergebnis, dass in der gleichen Zeit mehr geleistet wird.

Für viele Menschen ist das grosse Problem tatsächlich die Zeit. Sie arbeiten von früh bis spät in einem dauernden Wettlauf mit der Zeit, ohne dabei stets als Sieger hervorzugehen. Was ist denn Zeit eigentlich? Edgar Schumacher, Truppenführer und Philosoph zugleich, erklärt es mit trefflichen Worten:

«Es gibt viele dumme geflügelte Worte, die, gedankenlos und formelhaft angewendet, Zeugnis dafür geben, wie genügsam der Mensch auf dem geistigen Gebiete sein kann. Wenn er nur ein Wort hat, das einigermassen nach etwas tönt, dann wendet er es unbeschaut an, gar nicht, weil er es wirklich glaubt, sondern weil es ihm die Unkosten eigenen Denkens für einmal erspart. Einer der elendesten unter diesen Sprüchen ist wohl der: ‹Zeit ist Geld›. Man kann freilich viel daraus lesen, aber kaum etwas zugunsten dessen, der ihn erfand, und sicher nichts zur Rechtfertigung für den, der ihn anwendet. Er besagt: ‹Geld ist das Höchste, wozu es der Mensch bringen kann; und der ideale Gebrauch der Zeit liegt darin, dass man sie bar auszumünzen versteht.› Müssen wir uns noch weiter damit abgeben? Ich denke nicht. Da halten wir uns lieber ein Wort des grossen Francis Bacon nahe, dem sich schon eher nachzudenken lohnt: ‹Zeit ist der Wertmesser des Tätigseins, so wie Geld der der Ware: eine Betätigung, bei der nichts herauskommt, ist immer zu teuer bezahlt.›

So wollen wir die Zeit ansehen als etwas unvergleichlich Wertvolles, das mit einer ganz seltenen Gerechtigkeit allen zu gleichen Teilen gehört. Keiner kann sie kaufen, keiner weggeben. Jeder muss sein Stück Zeit selber pflegen und selber erfüllen. Ihren Wert erschaffen wir selber; und er richtet sich nicht nach Mass und Zahl, sondern nach seinem Reichtum an menschlichem Beteiligtsein. Die Zeit ist unsere Wirkensstätte. In ihr vollzieht sich, was wir tun und sind.

Es ist unsere Schuld, wenn wir uns das Leben eintönig machen; die Zeit, mit ihrem drängenden Anderssein von Tag zu Tag, will es nicht so. Sie scheint uns um so günstiger zu werden, je mehr wir ihrer achten. Denn die Erhöhung unseres Lebensgefühls nimmt ihren Anfang beim guten Umgang mit der Zeit. Wir werden sie, wenn wir ihrer Kostbarkeit einmal inne sind, fürwahr nie, wie man so zu sagen pflegt, zu ‹vertreiben› suchen, und es wird uns fast ein Abscheu ergreifen vor denen, die es zustande bringen, die ‹Zeit totzuschlagen›.»[2]

Edgar Schumacher hat zweifellos recht, wenn er die Zeit über das Geld setzt und das gedankenlose Sprichwort verdammt. Zeit ist mehr als Geld. Verlorenes Geld lässt sich mit etwas Geschick wieder ersetzen, verlorene Zeit dagegen ist unwiederbringlich dahin und lässt sich mit keinem Mittel dieser Welt wieder zurückholen. Es gilt deshalb, die Zeit sinnvoll zu nützen und sie nicht ungewollt durch unrationelle Arbeitstechniken zu verschwenden.

1.4 Arbeitstempo und Leistung

Fälschlicherweise wird oft angenommen, durch eine Verbesserung der Arbeitstechnik werde eine Erhöhung des Arbeitstempos angestrebt. Das ist keineswegs der Fall, denn rationeller arbeiten heisst nicht zwangsläufig schneller arbeiten. Eine Arbeit rationalisieren bedeutet, sie verstandesmässig erfassen und vernünftig gestalten. Dass man die Arbeit dann in kürzerer Zeit bewältigen kann und dadurch Zeit gewinnt, ist nicht einem erhöhten Arbeitstempo zuzuschreiben, sondern allein der Tatsache, dass eine durchdachte Arbeitsweise weniger Aufwand bedingt als eine dem Zufall überlassene Abwicklung. Die Richtigkeit dieser Überlegung wurde bereits durch die erste in Europa durchgeführte Arbeitsstudie bestätigt.

In der Zeit kurz vor dem Ersten Weltkrieg fand in London eine grosse Ausstellung statt, an der sich nebst anderen Ländern auch Japan beteiligte. Der Hauptanziehungspunkt des japanischen Pavillons war die «schnellste Arbeiterin der Nation». Sie klebte mit geradezu atemraubender Geschwindigkeit Papierschildchen auf Streichholzschachteln. Jeder Besucher bewunderte ihre aussergewöhnliche Handfertigkeit und staunte über ihre Leistung: 36 beklebte Schachteln in 60 Sekunden.

[2] Edgar Schumacher: Vom Wert und vom Gebrauch der Zeit. Muttenz: Verlag Genossenschaftliches Seminar 1957.

Eines Tages besuchte der Amerikaner Frank B. Gilbreth, der Begründer der Bewegungsstudie, die Ausstellung. Er war sehr gespannt auf die Leistung der schnellen Japanerin. Da und dort hatte man ihm zu verstehen gegeben, dass man es auch ohne amerikanische Rationalisierungsverfahren zu Spitzenleistungen bringen könne. Die Gegner seiner Bewegungsstudien liessen sogar durchblicken, dass natürliche Begabung seiner Theorie weit überlegen sei.
Gilbreth liess sich dadurch nicht von seiner Überzeugung abbringen, dass allen nicht mit scharfem Verstand durchdachten menschlichen Arbeitsweisen unnötiger Aufwand anhafte. Deshalb studierte und analysierte er die Arbeitsweise der Japanerin sehr gründlich und kam zum Schluss, dass sie trotz der beträchtlichen Leistung von 36 Schachteln in der Minute sehr unrationell war. Das empörte die Japanerin derart, dass sie unverzüglich die Arbeit niederlegte. Schliesslich galt sie als die beste Arbeiterin der Nation und musste sich solche Beleidigungen nicht gefallen lassen.
Gilbreth lag die Absicht einer Beleidigung fern. Er bemühte sich deshalb, der japanischen Delegation klar zu machen, dass die Beobachter durch die Vielzahl der raschen Bewegungen einer optischen Täuschung unterlagen und nur die Schnelligkeit beurteilten, nicht aber den Bewegungsablauf und die Bewegungsökonomie, sonst würden sie feststellen, dass die Japanerin zu viele unnötige Bewegungen ausführe. Um seine Behauptung zu belegen, suchte Gilbreth eine griffgünstigere Anordnung der Streichholzschachteln, eliminierte alle unnötigen Bewegungen und legte eine in der Abwicklung sinnvolle und harmonische Griff- und Bewegungsreihenfolge fest. Durch diese Vereinfachung wurde vor allem das überspitzte Arbeitstempo verlangsamt. Trotzdem erreichte die wieder besänftigte Japanerin bereits beim ersten Versuch, also ohne jede Übung, eine höhere Stückzahl. Als sie die neue Arbeitstechnik richtig eingeübt hatte, vollbrachte sie ihre frühere Leistung in der halben Zeit, indem sie nun in der Minute genau die doppelte Anzahl, nämlich 72 Schachteln, beklebte.

1.5 Was heisst Arbeitstechnik?

Eine Erklärung dieses Begriffs scheint notwendig, denn in kleineren, ja selbst in grösseren Nachschlagewerken ist er nicht zu fin-

den. Wahrscheinlich deshalb nicht, weil das Wort «Technik» in mehrfacher Hinsicht angewendet wird und je nach dem Zusammenhang, in den man es bringt, einen etwas anderen Akzent erhält. In unserem Sinne haben wir darunter die Handhabung, also die Art und Weise, wie wir etwas ausführen, zu verstehen.
Die Technik liegt also zwischen Einfall, Absicht, Auftrag, Aufgabe oder wie man den Anstoss zum Handeln bezeichnen mag, und dem fertigen Werk, wobei das Werk in einem sicht- und greifbaren Gegenstand oder, bei Denkarbeit, als nicht gegenständlich wahrnehmbares Ergebnis bestehen kann.
Die Arbeitstechnik kann gut, weniger gut oder sogar schlecht sein. Dementsprechend wird auch das Ergebnis ausfallen, indem entweder das Werk nicht zufriedenstellend gelingt oder der Aufwand für eine befriedigende Arbeit zu hoch ist, wobei selbstverständlich beides auch vereint auftreten kann, also trotz hohem Arbeitsaufwand das Ziel nicht im gewünschten oder beauftragten Sinne erreicht wird.
Nun wissen wir spätestens seit dem Erscheinen der ironisch-klug formulierten Thesen von Parkinson, dass sich Arbeit wie Gummi dehnen lässt, um die Zeit auszufüllen, die für sie zur Verfügung steht. Manches muss jedoch gar nicht mehr besonders gedehnt werden, weil der Zeitaufwand dafür ohnehin schon gross genug oder vielleicht sogar zu gross ist. In Abwandlung der Parkinsonschen These trifft nämlich auch folgendes zu: Eine Arbeit muss so lange umständlich und zeitraubend ausgeführt werden, als die Möglichkeit einer einfacheren, besseren und zeitlich weniger aufwendigen Ausführungsart nicht bekannt ist.
Daraus dürfen wir folgendes ableiten: Die Tatsache, dass viele Arbeitstechniken allgemein üblich und weit verbreitet sind, muss nicht zwangsläufig heissen, dass es sich dabei um die beste Ausführungsart handelt. Der Grund für die Verbreitung ist oft eher darin zu suchen, dass zu viele zu wenig über die Zweckmässigkeit einer Verrichtungsart nachgedacht haben. Das beste Beispiel für diese Feststellung liefern uns die Radfahrer: Die überwiegende Zahl von ihnen führt das Auf- und Absteigen von der linken Seite her aus. In England mit Linksverkehr ist das richtig, doch warum geschieht das auch in Ländern mit Rechtsverkehr? Dort tritt man damit mitten in den Strassenverkehr statt auf den Gehsteig und gefährdet sich unnötig.
«Die Weisheit der Masse», sagte Bertrand Russel, «ist leider kein angemessener Ersatz für die Intelligenz einzelner. Einzelne, die

den überlieferten Anschauungen entgegentraten, sind die Quelle aller moralischen und geistigen Fortschritte. Natürlich waren sie unpopulär.»

Bei der persönlichen Arbeitstechnik kommt eines erschwerend hinzu: Es gibt keine universelle Arbeitstechnik, die alle Tätigkeitsbereiche umfasst. Es ist vielmehr so, dass es für jeden Vorgang eine eigene Technik gibt. Mehr noch: Jeder Vorgang kann auf mehrere Arten durchgeführt werden, mit unterschiedlichem Aufwand und unterschiedlichem Ergebnis. Das heisst, dass nur derjenige mit einer einzigen Arbeitstechnik auskommt, der nur eine einzige Aufgabe zu erfüllen hat. Je zahlreicher und je unterschiedlicher die Aufgaben sind, desto zahlreicher und unterschiedlicher sind auch die zu ihrer Erfüllung notwendigen Arbeitstechniken.

Die Anwendung eigener Arbeitstechniken ist an kein bestimmtes Alter gebunden. Meine Tochter fand bereits im ersten Schuljahr nach wenigen Rechenstunden heraus, dass sie sich durch die Verwendung zweier Lineale mit Zentimeterskala die Anstrengungen des Kopfrechnens ersparen konnte. Drei und fünf? Sehr einfach: Die 0 des zweiten Lineals wird an die 3 des ersten Lineals geschoben und unter der 5 des zweiten Lineals die Zahl des ersten Lineals abgelesen = 8. Sie war auf dem besten Weg, den Rechenschieber noch einmal zu erfinden.

Geradezu vorbildlich für die Anwendung zeit- und aufwandsparender Arbeitstechniken ist das Beispiel des achtjährigen Karl Friedrich Gauss, des späteren weltberühmten Mathematikers. Der Lehrer hatte der Klasse die Aufgabe gestellt, die Zahlen 1 bis 100 schriftlich auf der Schiefertafel zusammenzuzählen. Damit glaubte er die Klasse für eine Stunde beschäftigt. Um so erstaunter war er deshalb, als ihm der kleine Gauss bereits einige Minuten später seine Schiefertafel mit der richtigen Endsumme unter die Nase schob. Statt hundert Zahlen zu addieren, beschränkte sich Karl auf eine einzige Multiplikation: $50 \times 101 = 5050$. Seine Überlegung war dabei folgende: Wenn ich die Zahlen $1 + 100$, $2 + 99$, $3 + 98$ bis $50 + 51$ zusammenzähle, ergibt die Summe immer 101. Darin sind alle Zahlen von 1 bis 100 enthalten. Demzufolge muss ich lediglich 101×50 rechnen und das Endergebnis ist gefunden. Es gibt wohl kaum ein anschaulicheres Beispiel für überlegtes, methodisches Arbeiten. Statt fleissig, aber gedankenlos zu addieren, wie es von ihm erwartet wurde, begann der kleine Karl zuerst zu denken und ersparte sich als Folge seiner Überlegungen mit einer Multiplikation neunundneunzig Additionen.

Der Begriff «Technik» weckt in uns sofort die Vorstellung von Maschinen und Geräten, die mechanisch, elektronisch, halb- oder vollautomatisch bestimmte Arbeiten erledigen. Tatsächlich ist es denn auch so, dass die Technik, in diesem Sinne verstanden, für die Menschheit zu einer grossen Hilfe geworden ist, die uns manche schwere Arbeit abnimmt. Es wäre jedoch verfehlt, unter Technik nur die Maschine zu verstehen, denn der gleiche Begriff wird auch für die Handhabung technischer Hilfsmittel und darüber hinaus für die verschiedenen Arbeitsweisen ganz allgemein verwendet. Karl Friedrich Gauss hatte für seine Rechenaufgabe keine technischen Hilfsmittel zur Verfügung, sondern er löste die ihm gestellte Aufgabe durch Anwendung einer besonderen Arbeitsweise, die ihn rascher zum Ziel führte als die allgemein übliche. Für die Arbeit am Schreibtisch stehen uns verschiedene technische Hilfsmittel zur Verfügung, deren Anwendung insbesondere in den Bänden 7 und 22 dieser Taschenbuchreihe[3] erläutert wird. Uns geht es hier vor allem um die persönliche Arbeitstechnik, also um die Art und Weise, wie wir mit minimalem Aufwand die uns gestellten Aufgaben lösen können. Jeder Handwerkerberuf hat seine eigenen Arbeitstechniken, und auch in der industriellen Fertigung gibt es für die verschiedenen Berufszweige die entsprechenden Techniken, die, je nachdem, was der Einzelne selber noch dazu tut oder unterlässt, besser oder schlechter und demzufolge auch mehr oder weniger erfolgreich sein können. Diese Arbeitstechniken werden weitgehend durch die zur Verfügung stehenden Maschinen, Apparate, Werkzeuge und Geräte beeinflusst. Für den am Schreibtisch Tätigen sind Maschinen oft nur Hilfsmittel für die ausführende Tätigkeit, die seine übrige, maschinenunabhängige Arbeitsweise kaum zu beeinflussen vermögen.

Nicht die eigentliche Bürotechnik, sondern die maschinen- und geräteunabhängige Arbeitsweise des am Schreibtisch Tätigen soll hier zur Sprache kommen, weil es dafür eher zu wenig als zu viele Regeln und Anleitungen gibt. Dass dem so ist, dürfte eigentlich nicht erstaunen, handelt es sich doch dabei um den Bereich, den man allgemein als die «persönliche Arbeitsweise» zu bezeichnen pflegt und dafür auch die Freiheit der persönlichen Arbeitsgestaltung beansprucht. Gegen diese Individualisierung der Arbeitsweise ist grundsätzlich nichts einzuwenden, wenn sie dazu beiträgt,

[3] Band 7: Weilenmann: Die zweckmässige Kartei.
Band 22: Weilenmann: Arbeitstechnik im Büro.

eine grössere Befriedigung in der Arbeit zu finden. Je individueller dabei die Arbeitsweise wird, um so weniger ist sie mit ähnlichen Tätigkeiten vergleichbar. Der ausgefüllte Arbeitstag ist kein Massstab für die effektive Leistung, und vermeidbarer Leerlauf äussert sich nicht in Nichtstun. Ganz im Gegenteil. Der unwirtschaftlich Tätige arbeitet oft wesentlich mehr und angestrengter als derjenige, der es versteht, jeden entbehrlichen Aufwand zu vermeiden und durch eine geschickte Verbindung der einzelnen Vorgänge seine Leistung zu verdichten.
Weil die spezifische Eigenart bestimmter Schreibtischarbeiten verbunden mit der individuellen Prägung der Erledigung oft keinen unmittelbaren Leistungsvergleich ermöglichen, wird die Unwirtschaftlichkeit oft lange nicht entdeckt. Zu selbstkritischen Überlegungen führt oft das Unbefriedigtsein mit seiner eigenen Leistung, und zwar insbesondere dann, wenn nach Stunden hektischer Arbeit doch nicht erreicht wurde, was erreicht werden wollte oder sollte. Wo Überzeitarbeit zur Regel zu werden droht, wächst der Wunsch nach aufwand- und zeitsparenden Arbeitstechniken insbesondere in denjenigen Arbeitsphasen, wo nicht bereits Schreib-, Rechen- und andere Maschinen für eine beschleunigte Abwicklung sorgen.

1.6 Gute Ratschläge sind kein Ersatz für eigenes Denken

Arthur Schopenhauer, der vielzitierte Philosoph, kann, wie es bei klugen Leuten immer wieder der Fall ist – deshalb ihre häufige Zitierung –, hier mit einem boshaft-gescheiten Gedanken wegweisend wirken:
«Während des Lesens ist unser Kopf doch eigentlich nur der Tummelplatz fremder Gedanken. Daher kommt es, dass, wer sehr viel und fast den ganzen Tag liest, die Fähigkeit, selbst zu denken, allmählich verlernt. Solches ist aber der Fall sehr vieler Gelehrter: Sie haben sich dumm gelesen.»
Wirklich boshaft, aber nicht ohne tieferen Sinn: Wer in seinem Kopf einfach speichert, was ihm gedruckt vorliegt, ohne es zuvor kritisch zu prüfen und auf seine Bedeutung zu untersuchen und ohne zu merken, was für ihn wichtig und was unwichtig ist, der wird von dem Gelesenen kaum klüger. Dieses Taschenbuch will Ihnen Anregungen vermitteln, aber auf keinen Fall das eigene

Denken abnehmen. Ganz im Gegenteil: Ihr waches Mitdenken ist geradezu eine Bedingung für Ihren Erfolg, denn Sie müssen merken, wo etwas für Sie von besonderer Wichtigkeit ist und wo Sie eine Seite ungelesen umschlagen können, weil Sie das, was dort steht, bereits wissen.
Doch nicht genug damit; von Ihnen wird sogar noch wesentlich mehr verlangt. Was in den folgenden Kapiteln behandelt wird, sind Überlegungen und Arbeitstechniken, die sich in vielen Fällen bewährt haben. Es sind jedoch keine Rezepte, die man in der üblichen Kochbuchmanier anwenden kann, um damit, hält man sich nur getreulich an die Beschreibung, Erfolg zu haben. So einfach ist es bei der persönlichen Arbeitstechnik nicht, denn jeder Mensch hat seine eigene Wesensart, und deshalb kann es keine Patentrezepte geben, die für jeden in gleichem Masse zutreffen. Was ich Ihnen hier zur Gestaltung der persönlichen Arbeitstechnik vorlege, sind Anregungen und Denkanstösse, die bewirken sollen, dass Sie sich bewusst mit Ihrer Arbeitsweise zu befassen und auseinanderzusetzen beginnen. Dieses Bändchen erreicht sein Ziel dann am besten, wenn Sie Schopenhauers Warnung beachten und nicht nur lesen, sondern dabei vor allem Ihr analytisches Denken schärfen und lernen, Ihre Arbeitsweise kritisch zu betrachten. Je weniger Anregungen Sie aus diesem Buch unverändert übernehmen, je mehr eigene, auf Sie zugeschnittene Arbeitstechniken Sie dabei entwickeln, um so vorteilhafter für Sie.
Je ernsthafter Sie sich mit der Verbesserung Ihrer Arbeitstechnik befassen, um so mehr werden Sie feststellen, dass auch eine gute Arbeitstechnik noch kein Ruhekissen ist. Immer wieder zeigen sich Möglichkeiten, daran etwas zu verbessern, zu vereinfachen oder sie veränderten Umständen anzupassen.

2 Arbeitstechnik beginnt mit Denken

2.1 Nachahmen, erfahren und denken

Die einfachste und naheliegendste Art, sich eine Arbeitstechnik anzueignen, ist die Nachahmung. Das lässt sich bereits bei Kleinkindern beobachten, die in mancher Beziehung Verhaltensweisen von Geschwistern und Eltern übernehmen. Je nach gewählter Berufsart basiert ein nicht unwesentlicher Teil der Ausbildung auf Nachahmung. Dem Lehrling wird gezeigt, wie er eine bestimmte Arbeit auszuführen hat, und er muss sich bemühen, dieser Ausführungsart möglichst nahe zu kommen. Zweifellos hat das Lernen durch Nachahmung seine Vorteile, unbestreitbar aber auch Nachteile, indem auf diese Art oft längst überholte Arbeitstechniken unbeirrt und oft sogar mit autoritärem Nachdruck weitervermittelt werden. Wo alte und neue Techniken zusammenstossen, kann das zu einem echten Problem werden. Denken wir beispielsweise an die nicht ganz seltenen Fälle, wo der Lehrling in der Berufsschule einen zeitgemässen Korrespondenzunterricht geniesst, in der Lehrfirma jedoch ein bald pensionsreifer Bürovorsteher streng darüber wacht, dass sich jedermann an den Stil hält, den er vor bald fünfzig Jahren gelernt und seither konsequent beibehalten hat. Gelernt ist schliesslich gelernt.

Eine ganz eigenartige Bewandtnis hat es mit der Erfahrung. Gar mancher brüstet sich stolz damit und pocht bei jeder Gelegenheit darauf, und zwar um so energischer, je weniger er im Laufe der Jahre wirklich hinzugelernt hat. «Die Klapperschlange behält von jeder Häutung einen Rest am Schwanze. Die verschiedenen Reste zusammen bilden die ‹Klapper›, mit der sie furchterregend klappert. Erinnert das nicht an gewisse Menschen und deren ‹Erfahrungen›?» fragt Charles Tschopp durchaus berechtigt. Sehr oft sind gerade diejenigen, die mit ihrer Erfahrung am lautesten klappern, am wenigsten geneigt, Neues oder gar aus der Erfahrung anderer zu lernen.

Aus Erfahrungen zu lernen, ist übrigens nicht jedermanns Sache und zudem keineswegs leicht. Manche Erfahrung ist das Ergebnis

eines Zufalls und besitzt demzufolge keine Allgemeingültigkeit. Andere wiederum ergeben sich unter ganz besonderen Bedingungen und wiederholen sich unter veränderten Bedingungen nicht zwangsläufig in gleicher Art. Wer bei dem Versuch, ein hübsches Mädchen mit braunen Augen und schwarzem Haar zu küssen, stürmisch zurückgeküsst wurde, darf das keineswegs als verbindliche Erfahrung buchen, denn beim nächsten hübschen Mädchen mit braunen Augen und schwarzem Haar kann der Versuch mit einer Ohrfeige enden. Welche Erfahrung gilt nun? Anders liegt der Fall, wenn ich beispielsweise eine Bergwanderung plane und wissen möchte, ob die Strecke in einem Tagesmarsch zu bewältigen ist. Ich erkundige mich bei jemandem, der die Wanderung schon gemacht hat und mir demzufolge aus seiner Erfahrung sagen kann, wieviele Stunden er dazu benötigt hat.
Weil das Lernen aus fremden Erfahrungen gründliche eigene Überlegung erfordert, wird häufig auf beides verzichtet, und zwar nicht selten auch dort, wo der Nutzen der angebotenen Erfahrung offensichtlich ist. Das hat zur Folge, dass man vor allem die negativen Erfahrungen selber sammelt oder, genauer ausgedrückt, von den gesammelten Erfahrungen die negativen im Gedächtnis behält.
Voranbringen wird uns vor allem das Denken, sofern es sich auf ein entsprechendes Wissen stützen kann. Über diese Fragen hat man sich offensichtlich früher auch schon den Kopf zerbrochen, denn von Konfuzius kennen wir den folgenden Spruch:

Der Mensch hat drei Wege,
klug zu handeln:

Durch Nachdenken.
Das ist der edelste Weg.

Durch Nachahmen.
Das ist der leichteste Weg.

Durch Erfahrung.
Das ist der bitterste Weg.

2.2 Haben wir zu wenig Zeit zum Denken?

Bis vor kurzem musste alles immer schneller gehen: Man baute stets schnellere Wagen, schnellere Lokomotiven und schnellere Flugzeuge. Alles spielte sich immer schneller ab, und trotzdem hatten und haben die meisten Menschen in den westlichen Industrienationen immer weniger Zeit. Es soll hier nicht untersucht werden, woher die Zeitnot kommt und wo die Wurzel dieses Übels liegt. Neuerdings beginnt man zu merken, dass man zu grosse Eile zu teuer erkauft. Die Hoffnung ist zwar gering, dass nun weltweit die Vernunft einkehrt und nebst anderem auch die Zeitnot bald der Vergangenheit angehört, aber zu hoffen bleibt trotzdem, es möge in dieser Beziehung etwas besser werden.
Immer wieder kann beobachtet werden, wie kurz vor und oft auch noch bei Sitzungsbeginn in aller Eile Akten überflogen werden, um wenigstens der Spur nach orientiert zu sein, über was nun beraten und Beschluss gefasst werden soll. Viele Sitzungsteilnehmer sind sich durchaus bewusst, wie schlecht sie sich informiert und vorbereitet haben, doch plagt sie ihr Verantwortungsgefühl kaum mehr, denn sie haben sich bereits an diesen Zustand gewöhnt, und zudem befindet sich der Nachbar zur Rechten und zur Linken in der genau gleichen Situation.
In Agenden und Terminkalendern häufen sich die Besprechungen und Sitzungen, und die Eintragungen sehen meistens so aus:

9.00 Abteilungsleiterbesprechung
10.30 Dr. Müller: Arbeitsvertrag
11.30 Grafiker: Prospektentwurf
13.30 Sitzung Baukommission
usw.

Wann soll man sich bei dieser dichten Folge überhaupt noch vorbereiten können? Für viele dieser Vielbeschäftigten stellt sich die Frage, ob die Zeit zum gründlichen Durchdenken der zu behandelnden Traktanden und der zu fassenden Beschlüsse überhaupt noch ausreicht. Ist dies nicht der Fall, dann besteht tatsächlich die Gefahr, dass oft ohne genügende Überlegung gehandelt wird.

2.3 Zuerst denken, dann handeln

Theoretisch weiss jedermann, dass das Denken vor dem Handeln kommen muss. Praktisch sieht es aber oft etwas anders aus. Vier kleine Beispiele aus dem Alltag:

- Der Sachbearbeiter tippt einen Brief. Griff zum Telefon: «Haben wir den Artikel 2623 am Lager?» Er tippt weiter. Erneuter Griff nach dem Hörer: «Ist der Artikel 3405 ebenfalls prompt lieferbar?» – Von diesen zwei Anrufen ist bereits einer zuviel.
- A ruft B an: «Ich lese soeben Ihren Bericht über die letzte Kommissionssitzung. Der Vorschlag von XY ist für uns nicht annehmbar. Hoffentlich haben Sie ihm das klar gemacht!» B: «Wenn Sie den Bericht zu Ende lesen, werden Sie feststellen, dass XY mit unserem Gegenvorschlag einverstanden ist.» – Auch hier wurde zu früh gehandelt.
- «Das ist alles, Frau Schulz!» Frau Schulz geht. Zwei Minuten später: «Frau Schulz, kommen Sie doch noch rasch. Da ist noch etwas!»
- «Herr Jung, lassen Sie mir doch bitte rasch die Umsatzstatistik des letzten Monats ins Sitzungszimmer bringen.» Fünf Minuten später: «Herr Jung, ich benötige auch noch die Statistik des Vormonats.»

Keines dieser vier Beispiele ist von besonderer Tragweite. Es sind Vorkommnisse, die in dieser oder jener Form immer wieder anzutreffen sind, oft sogar mehrmals täglich. Durch die Häufung werden sogar diese kleinen Vorkommnisse zu einem Problem, das viel zu wenig beachtet wird, weil nicht der Verursacher, sondern Drittpersonen davon betroffen werden. In jedem dieser vier Fälle wurde eine Person unnötig in ihrer Arbeit gestört, nur weil eine Überlegung nicht zu Ende geführt wurde.

2.4 Denken wir zu wenig?

Die vier aufgezählten Beispiele kann jeder aus seiner eigenen Praxis fast beliebig vermehren. Weil wir unserem Handeln gegenüber oft zu wenig kritisch sind, merken wir unsere Verstösse gegen eine rationelle Arbeitsabwicklung häufig gar nicht. Um unsere Arbeitstechnik zu verbessern, müssen wir unser Tun selber überwachen und beurteilen, und zwar nicht nur einmal in der Woche, sondern durch dauernde Selbstkontrolle. Anfänglich fällt das nicht besonders leicht, doch mit zunehmender Übung ertappen wir uns immer wieder bei Verstössen gegen eine gute Arbeitstechnik. Je genauer wir uns selber beobachten und unsere Arbeitsweise überwachen, um so eher merken wir, dass wir gerade wieder im Begriff sind, unlogisch zu handeln.

Die Folge dieser Selbstüberwachung ist, dass wir uns ein disziplinierteres Denken angewöhnen. Undiszipliniert sieht unser Handeln so aus: «Das muss ich mit Herrn Bender besprechen...» und schon sind wir auf dem Weg zu Herrn Bender oder haben seine Telefonnummer eingestellt. Bei diszipliniertem Denken führen wir unsere Überlegung zu Ende und eilen nicht schon mitten im Gedanken zur Tür. Wahrscheinlich erheben wir uns dann überhaupt nicht aus unserem Schreibtischsessel, sondern machen uns einige Stichwort-Notizen und legen sie zu den Akten, die wir mit Herrn Bender noch zu besprechen haben. Dann lassen wir uns durch den Kopf gehen, was in der bevorstehenden Besprechung ausserdem noch erledigt werden kann.

Wer sein Denken und Handeln sorgfältig überwacht, wird, sofern er nicht bereits über eine ausgefeilte Arbeitstechnik verfügt, mit ziemlicher Wahrscheinlichkeit die Entdeckung machen, dass er besonders in kleineren, scheinbar leicht überblickbaren Angelegenheiten zu gewohnheitsmässigen oder voreiligen Schlussfolgerungen geneigt ist.

«Herr Ober!» ruft der Gast in einer vornehmen Gaststätte. «Ich kann die Suppe nicht essen!»

«Oh, das tut mir aber sehr leid. Nur einen kleinen Moment. Ich hole sofort den Geschäftsführer.» Der Ober eilt davon, der Geschäftsführer erscheint.

«Guten Tag. Wie ich höre, können Sie die Suppe nicht essen?»

«Nein, ich kann die Suppe tatsächlich nicht essen!»

Auf dem Gesicht des Geschäftsführers spiegelt sich Bestürzung: «Das ist mir sehr peinlich, denn die Küche unseres Hauses geniesst einen ausgezeichneten Ruf. Bitte entschuldigen Sie. Ich hole unverzüglich den Küchenchef!»

Er enteilt und erscheint kurz darauf in Begleitung des Küchenchefs. «Mein Herr, Sie können die Suppe nicht essen?» fragt der Küchenchef bekümmert. «Darf ich fragen, woran es fehlt?»

«Ich habe keinen Löffel!»

Ein typisches Beispiel für eine zu rasche Schlussfolgerung. Der Ober vernimmt die Bemerkung des Gastes und schliesst ohne weiteres Nachdenken sofort daraus, es müsse an der Suppe liegen. Ohne überhaupt eine andere Möglichkeit in Betracht zu ziehen, eilt er mit der Mitteilung zum Geschäftsführer. Dieser lässt sich vom Gast nochmals bestätigen, dass er die Suppe nicht essen kann, und folgert, ebenfalls ohne weiteres Nachdenken, der Küche müsse ein Fehler unterlaufen sein. Also muss der Küchenchef her. Und erst jetzt klärt sich auf, dass daran nicht die Suppe, sondern der fehlende Löffel schuld ist.

Warum führen oft Angelegenheiten, deren Sachverhalt sofort klar erscheint, zu voreiligen Schlussfolgerungen? Durch den vermeintlich klaren Tatbestand überspringt man die Überlegung und steuert gleich die Erledigung an: «Das falsche Modell gesandt? Ein Fehler der Versandabteilung. Umtausch!»

Betrachten wir diesen kurzgeschlossenen Vorgang etwas gründlicher:

«Das falsche Modell gesandt.»	Das ist die zusammengefasste Information einer längeren Kundenreklamation. Rasch wird gefolgert:
«Ein Fehler der Versandabteilung.»	So etwas kommt gelegentlich vor, wenn einer in der Versandabteilung ins falsche Fach greift.
«Umtausch!»	Schon endet die Überlegung, denn es zeichnet sich ab, was zu tun ist: Wenn wir falsch geliefert haben, dann tauschen wir einfach um, und damit ist der Fall erledigt.

Bei Falschlieferungen ist Umtausch der übliche Vorgang, der sich dem Gedächtnis so eingeprägt hat, dass dieses ganz von selbst die entsprechende Handlung auslöst. Bei diesen Routineüberlegungen werden andere Ursachen wie z. B.

- die Bestellung des Kunden war unklar
- der Kunde hat die falsche Artikelnummer notiert
- im Prospekt steht eine falsche Artikelnummer

gar nicht in Erwägung gezogen. Hat der Kunde eine falsche Artikelnummer notiert, wird er bei dieser Routineüberlegung mit grosser Wahrscheinlichkeit nochmals den falschen Artikel erhalten, wenn man sich beim Umtausch neuerdings auf seine Bestellung stützt. Man wundert sich dann oft darüber, dass sich selbst bei einfachen und überblickbaren Vorgängen Fehler an Fehler reihen kann und nimmt an, ein Fehler löse den anderen aus. Das kann wohl sein. Häufiger ist jedoch, dass man bereits zu handeln beginnt, bevor man genügend überlegt hat.

2.5 Oder denken wir zu viel?

Auch das kann es geben, und auch das ist unrationell. Zu viel Denkarbeit wird beispielsweise dann geleistet, wenn wir eine Sache weglegen, bevor wir sie zu Ende gedacht haben. Nehmen wir sie später wieder vor, haben wir die früheren Überlegungen bereits wieder vergessen und beginnen nochmals von vorn. Wir denken also nochmals durch, was wir bereits schon einmal gedacht haben. Geben wir erneut auf oder werden wir unterbrochen, bevor wir zu einem Ergebnis gekommen sind, dann haben wir den gleichen Denkaufwand auch noch ein drittes Mal. Zur Verbesserung der Arbeitstechnik ergeben sich daraus folgende Schlüsse:

- Begonnene Arbeiten sollen nicht ohne zwingenden Grund weggelegt werden, weil der Neubeginn wiederum bereits erbrachte Denkarbeit bedingt.
- Denkvorgänge werden vorteilhafterweise dann begonnen, wenn erfahrungsgemäss mit wenig Störungen gerechnet werden muss. Tageszeiten, die häufige Unterbrechungen bringen, sind zur Bewältigung der Routinearbeiten zu benützen.

Zu viel denken wir auch dann, wenn wir gedanklich etwas erarbeiten, das andere auch schon gedacht haben und das demzufolge irgendwo bereits vorliegt. So können wir beispielsweise mit ganz beträchtlichem Aufwand ein Kundennummernsystem ausarbeiten und mit eigener Geisteskraft nochmals das schaffen, was andernorts bereits längst besteht. Mit noch grösserem Denkaufwand können wir für unsere Dokumentation einen Sachgebietskatalog entwerfen oder für unsere Fertigung eine neue Formularorganisation schaffen und damit unnötigerweise nochmals erarbeiten, was bereits in zahlreichen Varianten vorhanden ist.

Eine Verschwendung von Denkarbeit bedeutet es auch, wenn wir in grösseren zeitlichen Abständen immer wieder die gleichen Vorgänge durchdenken müssen, weil sie uns inzwischen wieder entfallen sind. Das kommt öfter vor, als man wahrhaben will. Wenn Sie sich das nächste Mal fragen: «Wie habe ich das denn letztes Mal gemacht?» stehen Sie vor einem solchen Fall.
Es besteht kein Zweifel, dass in vielen Fällen zu wenig, in nicht wenigen Fällen jedoch mehr als notwendig gedacht wird. Nun soll zwar, wie durch wissenschaftliche Versuche nachgewiesen wurde, das Denken nicht ermüden, doch einen Zeitverlust bedeutet sowohl das überflüssige wie auch das zu geringe Überlegen; letzteres vor allem deshalb, weil nicht selten die mit dem Kopf gesparte Zeit mit den Beinen verbraucht wird, sagt doch der Volksmund sehr treffend: «Wer keinen Kopf hat, hat Beine.»
Von Edgar Schumacher hörten wir, dass es viele dumme geflügelte Worte gibt, die, gedankenlos und formelhaft angewendet, Zeugnis dafür geben, wie genügsam der Mensch auf dem geistigen Gebiet sein kann. Auch bei dem soeben erwähnten geflügelten Wort handelt es sich nur um eine halbe Wahrheit. Es trifft zu, dass derjenige, der zu wenig denkt, mehr laufen muss oder, wenn er eine höhere Position bekleidet, andere für sich laufen lässt. Daraus aber auch den umgekehrten Schluss ziehen zu wollen, wäre natürlich falsch, denn durch noch so vieles Laufen, durch noch so strenge Benützung der Beine, kann die durch mangelhafte oder überflüssige Überlegungen versäumte Zeit nicht mehr eingeholt und schon gar nicht mehr zurückgebracht werden. Und da es uns bei der Verbesserung der Arbeitstechnik vor allem darum geht, die Zeit besser zu nützen, kommen wir nicht darum herum, uns mit dem Denken noch weiter zu befassen. Wenn wir vernünftig handeln wollen, müssen wir zuvor richtig denken.

2.6 Kann man «nebenher» denken?

Ich steckte mitten im ersten Kapitel des Manuskripts zu diesem Taschenbuch und hatte mir gerade mit einiger Mühe die Gedanken so zurechtgelegt, wie ich sie für den nächsten Abschnitt zu Papier bringen wollte, als meine Frau in mein Arbeitszimmer platzte: «Du, ich gehe jetzt Wäsche an die Leine hängen. Achte doch

auf den Postboten, damit...» Was ich eigentlich mit dem Postboten sollte, hörte ich schon gar nicht mehr, weil mein Gedankengebilde am Zusammenbrechen war. Offenbar nahm meine Frau an, ich sei in der Phase der Routinearbeiten, die eine Unterbrechung gestatten, sonst hätte sie mich kaum gestört. Sie weiss aus langjähriger Erfahrung, dass das Schreiben Denkarbeit bedingt und Störungen schlecht verträgt. Deshalb lässt sie mich in den Denkphasen möglichst in Ruhe, doch dieses Mal ging es nun daneben.
Ich versuchte, meine Arbeit fortzusetzen und mit einem Ohr auf den Postboten zu hören. Diese zweigeteilte Aufmerksamkeit beeinträchtigte meine Arbeit gewaltig. Ich kam überhaupt nicht mehr richtig weiter und begann mich darüber zu ärgern, und da ging es schon gar nicht mehr. Meine Frau war längst von der Wäscheleine zurück und der Postbote auch wieder weg, doch mit meiner Konzentration klappte es immer noch nicht. Deshalb liess ich das Manuskript fahren und begann draussen Laub zusammenzurechen, und zwar mehr aus Ärger über den verlorenen Gedankenfaden und nicht etwa, weil ich Lust hatte. Meine Gedanken weilten jedoch am Schreibtisch, und schliesslich hatte ich nicht nur das Laub, sondern auch den Manuskript-Abschnitt beisammen. Also zurück an den Schreibtisch und rasch zu Papier gebracht, was sich da gedanklich wieder eingestellt hatte. Dann begann ich in meiner Kartei zu suchen und fand die Aufzeichnungen, die ich mir aus einer in früheren Jahren in einer Fachzeitschrift erschienenen Untersuchung über die geistige Beanspruchung bei verschiedenen Tätigkeiten herausnotiert hatte. Bei den folgenden Arbeiten beträgt die geistige Beanspruchung:

Kehren	10%
Lasten tragen, sägen	20%
Feilen	30%
Montieren	40%
Kontrollieren, registrieren	50%
Justieren	60%
Leichte Büroarbeit	70%
Kartei ordnen	80%
Geistig-schöpferische Arbeit	95%

Die Prozentzahlen sind zumindest bei einzelnen der aufgeführten Tätigkeiten mit Vorbehalt zu verwenden. Die leichte Büroarbeit

beispielsweise ist zu wenig genau umschrieben. Reine Routinetätigkeit, wie Briefe falzen und in Briefumschläge schieben, sofern es sich um Fensterumschläge handelt, beansprucht den Geist kaum zu 70%. Müssen jedoch auch noch die richtigen Beilagen dazugelegt und die Briefe in das In- und Ausland, Luftpost- und Eilsendungen richtig frankiert werden, dann ist die geistige Beanspruchung sofort entsprechend höher.
Die Arbeit an einem Manuskript beansprucht den Geist nahezu vollständig. Zudem mit einem Ohr nach dem Postboten hören und sich gleichzeitig über diesen störenden Auftrag ärgern, lenkt zu stark ab, um noch wirklich geistig-schöpferisch tätig sein zu können. Das Zusammenkehren des Laubes im Garten jedoch beanspruchte das Denken nur zu knapp 10 Prozent, und mit den restlichen 90 Prozent konnte ich mich mit der Fortsetzung meines Manuskripts befassen. Deshalb fand ich bei der Gartenarbeit den Faden zu meinem Manuskript wieder und konnte nachher meine Schreibtischarbeit fortsetzen.
Es gibt manuelle Arbeiten, die in ihrer Art so einfach sind, dass sie an unseren Denkapparat keine grossen Anforderungen stellen. Unser Gehirn verfügt dann über freie Kapazität, die wir entweder brachliegen lassen können, um uns von vorangegangener angestrengter Konzentration zu erholen, oder wir können die freie Kapazität anderweitig ausnützen. Wir können also bei diesen einfachen Tätigkeiten Gedanken wälzen, die mit der Tätigkeit in keinem Zusammenhang stehen. Genau umgekehrt verhält es sich bei der wirklichen Denkarbeit im geistig-schöpferischen Sinn. Sie beansprucht den Geist praktisch vollständig und ausschliesslich. Daraus ergibt sich, dass wirkliche Denkarbeit nicht einfach nebenher geleistet werden kann. Diese Erkenntnis ist wichtig und für die Verbesserung der persönlichen Arbeitstechnik wesentlich, denn nur zu oft ist die Missachtung dieser Tatsache schuld daran, dass Überlegungen zu keinem brauchbaren Ergebnis führen und die Fortsetzung der Denkarbeit auf später verschoben wird, was, wie wir bereits festgestellt haben, keineswegs rationell ist.
Scharfe Denker werden sich nun fragen, ob man diese Überlegung nicht auch umgekehrt anstellen kann, beispielsweise so: Wenn ein Denkvorgang eine Person zu 70–80 Prozent beansprucht, kann dann die freie Geisteskapazität noch für eine andere Tätigkeit beansprucht werden?
Tatsächlich wird diese ungenutzte Kapazität von vielen Leuten unbewusst ausgeschöpft, indem sie beim Nachdenken Männchen

oder geometrische Figuren auf das Notizpapier kritzeln. Sie denken und lassen unabhängig davon ihre Hand eine Tätigkeit ausüben, wobei in diesem Fall die Hand keine produktive, irgendwie verwertbare Leistung erbringt. Richtigerweise muss die Frage so gestellt werden: Besteht ein Unterschied darin, ob man beim Wischen auch noch Probleme löst oder beim Problemelösen auch noch wischt? Ist denn beides nicht dasselbe, ähnlich dem Glas Bier, das man sowohl als halbvoll wie als halbleer bezeichnen kann? Die Frage ist berechtigt. Der Unterschied liegt in der Priorität. Zum Problemelösen kann man durchaus noch eine nebenherlaufende manuelle Tätigkeit ausüben, wenn diese bei voller Konzentration auf die Problemlösung unterbrochen werden kann. Wer am Steuer seines Wagens Probleme zu lösen versucht, muss dagegen zwangsläufig die Priorität dem sicheren Lenken seines Fahrzeuges zuerkennen, also seine Gedankengänge unterbrechen, wenn der Strassenverkehr seine volle Aufmerksamkeit beansprucht. Beim wischenden Problemlöser kann deshalb geschehen, dass er sein Problem gelöst, aber den Hausplatz nicht sauber gewischt hat, während der fahrende Problemlöser ohne Unfall an sein Fahrziel gelangt, jedoch sein Problem nicht gelöst hat. Wie gesagt, es ist eine Frage der Priorität: Was wichtiger ist, sollte nicht unterbrochen werden.

2.7 Der Startaufwand beim Denken

Sie wissen vermutlich aus eigener Erfahrung, wie mühsam bestimmte Besprechungen anlaufen. Zehn Leute sitzen um den Tisch und verhalten sich stumm. Der Vorsitzende hat mit knappen Worten erklärt, dass er von den Anwesenden gute Vorschläge zur Förderung des Absatzes erhofft. Und nun wartet er und niemand regt sich. Also spricht der Vorsitzende einen der Anwesenden direkt an. Dessen Antwort ist mager: «Ja, die Frage ist nicht leicht zu beantworten. Es gibt dabei verschiedenes zu bedenken, und brauchbare Vorschläge lassen sich selten einfach aus dem Ärmel schütteln. Wenn die bisherige Vertriebskonzeption nichts mehr taugt, ist klar, dass wir nach neuen Lösungen suchen müssen.» In dieser Art geht es noch eine Weile weiter, und auch andere Teilnehmer stellen fest, dass man etwas unternehmen muss, dabei allerdings verschiedenes zu bedenken ist und gute Vorschläge, wie schon

von mehreren Seiten erwähnt, leider nicht aus dem Ärmel geschüttelt werden können.
Eine halbe Stunde nach Sitzungsbeginn ist man immer noch nicht über diese allgemeinen Feststellungen hinausgekommen, die genau das bestätigen, was der Vorsitzende bereits in seinen wenigen einleitenden Sätzen als Zweck der Zusammenkunft bezeichnete. Warum geschieht nichts und wird bloss in anderen Worten wiederholt, was bereits gesagt wurde?
«Mir wurde gestern günstig ein Wochenendhaus angeboten. Was meinst du, soll ich es kaufen?» Ähnliche Fragen wurden Ihnen aus dem Freundes- und Bekanntenkreis sicher auch schon gestellt, wobei es sich auch um einen Wagen, ein Motorboot, ein Kunstwerk oder sonst etwas gehandelt haben kann. Ihre Antwort darauf war vielleicht: «Na, wenn es günstig ist, warum nicht?» Und damit war die Sache für Sie erledigt, denn schliesslich war das ja nicht Ihr Problem. Im Bett kurz vor dem Einschlafen fällt Ihnen die Frage wieder ein, und weil Sie mit Ihren Gedanken nun nicht mehr anderweitig in Anspruch genommen werden, beginnen Sie sich zu überlegen, ob das Wochenendhaus auch für Sie von Interesse sein könnte. Überlegung reiht sich an Überlegung, und das Resultat Ihres Nachdenkens sieht schliesslich so aus: Das Haus liegt in einer verkehrsmässig schlecht erschlossenen Gegend. Mit dem Wagen fährt man gute drei Stunden hin und ebenso lang zurück. Bei Schnee ist es fraglich, ob die Zufahrt gesichert ist, weil das Haus weit abseits liegt. Landschaftlich ist die Gegend nicht besonders reizvoll. Ausserdem ist der Bau einer Zementfabrik geplant, und nicht allzu weit entfernt liegt ein Artillerieübungsplatz. Vermutlich ist das Haus deswegen nicht leicht zu verkaufen und wird deshalb so günstig angeboten. Und steht erst einmal das Zementwerk in seiner Nachbarschaft, dann wird das Haus noch schwerer zu verkaufen sein. Der Preis ist somit nur deshalb günstig, weil einige Nachteile mit in Kauf genommen werden müssen.
Sie würden, das ist das Ergebnis Ihrer Überlegungen, das Wochenendhaus nicht kaufen. Ihrem Freund jedoch hatten Sie angeraten: «Warum nicht, wenn es günstig ist.» Warum diese unterschiedliche Beurteilung?
Als Ihnen eine Frage gestellt wurde, die Sie nicht näher berührte, nahmen Sie sich gar nicht die Mühe, die näheren Umstände zu prüfen. Sie hatten möglichst unverbindlich geantwortet, und damit war die Sache für Sie erledigt. Später jedoch, als Ihnen der Gedanke kam, das Angebot könnte möglicherweise auch etwas für Sie

sein, begannen Sie sich alle die zu einer Beurteilung notwendigen Fragen zu stellen, und die Antworten darauf fielen dann so aus, dass auch der günstige Preis das Interesse für das Haus nicht länger zu halten vermochte. Daraus lassen sich im Hinblick auf die persönliche Arbeitstechnik zwei Schlüsse ziehen:

- Denken stellt einen Aufwand dar, den wir nicht unter allen Umständen zu erbringen bereit sind.
- Diese Bereitschaft ist dann am geringsten, wenn uns eine Angelegenheit weder persönlich berührt noch interessiert.

Wie man beim Schachspiel zuerst die Figuren aufstellen muss, bevor man den ersten Zug tun kann, und dem Computer zuerst die erforderlichen Daten eingeben muss, damit er mit der Arbeit beginnen kann, so muss man sich auch beim Denken zuerst die erforderlichen Informationen beschaffen. Diese sind vollständig oder zum Teil in unserem Gedächtnis gespeichert und müssen zum anderen Teil den entsprechenden Unterlagen entnommen oder durch Fragen in Erfahrung gebracht werden. Wie der Computer, den man oft als das «elektronische Gehirn» bezeichnet, braucht auch das menschliche Gehirn einen «Input» als Start für einen Denkvorgang. Weil dieses Erstellen der Denkbereitschaft einen gewissen Aufwand bedingt, sind viele Leute gern bereit, darauf zu verzichten. Zielgerichtete Überlegungen und planmässiges Vorgehen werden durch Routineverhalten und Schemaantworten ersetzt.

Der mit dem Erstellen der Denkbereitschaft verbundene Startaufwand ist es, der zu den geschilderten Situationen in Besprechungen und Sitzungen führen kann. So lange sich keiner der Anwesenden in seinem Aufgabenbereich berührt oder bedroht fühlt und an der Angelegenheit desinteressiert ist, verzichtet er auf den Aufwand. Wenn diese Verhaltensweise oft die Regel zu sein scheint, so gibt es auch Ausnahmen, Menschen, bei denen es nur des zündenden Funkens bedarf. Ihr waches Interesse lässt ihr Denken sofort anspringen, und weil sie stets voll und ganz mit dabei sind, können sie häufig selbst in Bereichen mitreden, zu denen sie ausser ihrem beweglichen Geist keine besonderen Voraussetzungen mitbringen.

Wie steht es mit Ihrem Startaufwand? Springen Sie selber an oder müssen Sie angeschoben werden? Schrecken Sie vor einer raschen Denkbereitschafterstellung zurück oder liegt Ihnen der flinke «Input»?

Wenn Sie Ihre persönliche Arbeitstechnik wirklich verbessern wollen, dann üben Sie sich im raschen gedanklichen Anspringen, im flinken «Input».

2.8 Beobachten und denken

Die Geschichte von James Watt, dem Erfinder der Dampfmaschine, und der Teekanne ist zwar schon alt und längst bekannt, aber dennoch ein sehr aktuelles Beispiel für diesen Abschnitt. Sie erzählt, dass James Watt bemerkte, wie der Dampf des kochenden Teewassers den Deckel der kupfernen Teekanne hob und entwich, hob und entwich, hob und entwich. Vor ihm hatten Zehntausende die gleiche Beobachtung gemacht und sich dabei nichts gedacht. Er aber begann nachzudenken, weil für ihn das Auf und Ab des Deckels nicht bloss ein lästiges Geklapper, sondern das Zeichen einer geheimnisvoll wirkenden Kraft war, und dadurch entdeckte er die Dampfkraft.

Gerade das Beobachten kann uns bei der Verbesserung unserer Arbeitstechnik wesentlich voranbringen, sofern wir es verstehen, unsere Beobachtungen richtig auszuwerten. Grock, dieser in seiner Art einmalige, weltberühmte Clown, war nicht nur ein begnadeter Künstler, sondern auch ein scharfer Beobachter menschlicher Verhaltensweisen, die er dann künstlerisch überhöht auf die Bühne brachte. In einer seiner Nummern wollte er auf dem Flügel spielen, was deshalb nicht gelang, weil Flügel und Stuhl zu weit auseinander standen und Grocks Hände die Klaviatur nicht erreichten. Des Clowns simple Überlegung war: Der Flügel ist zu weit weg, also muss er näher heran! Mit viel Mühe und Aufwand gelang es ihm schliesslich, das schwere Instrument an den Stuhl heranzuschieben. Über viele Jahre hinweg lachten in den verschiedensten Ländern unserer Erde Hunderttausende von Zuschauern über das einfältige Gemüt dieses Clowns, der nicht auf den naheliegenden Gedanken kam, den leichten Stuhl an den Flügel zu bringen, und deshalb den schweren Flügel an den Stuhl schob. So etwas Verrücktes! Man lachte Tränen und bemerkte den Spiegel nicht, den dieser grossartige Verulker seinen Zuschauern immer wieder vorhielt.

Wie oft versuchen wir doch, um bei dem Symbol zu bleiben, den schweren Flügel zu bewegen, nur weil wir durch fehlende oder ungenaue Beobachtung nicht merken, wie viel leichter sich der Stuhl

verschieben lässt? Wie mancher sucht, in der linken Hand den Telefonhörer, verzweifelt mit der Rechten in der linken Schublade nach einem Notizblock, den er dann doch nicht findet und deshalb die Rückseite einer Rechnung zu bekritzeln beginnt.
Die Beobachtung unserer eigenen Arbeitsweise soll uns zeigen, wo wir ansetzen müssen und ansetzen können, um unsere Arbeit zu vereinfachen und wirkungsvoller zu gestalten.

2.9 Diszipliniertes Denken – eine Anstrengung

Unser Denken bewegt sich nicht auf festen Geleisen von Station zu Station und kommt damit fast zwangsläufig am Ende auch zum gewünschten Ziel. Eher das Gegenteil ist der Fall. Verschiedene Gedanken stürmen von allen Seiten auf uns ein. Versuchen wir nicht, sie zu ordnen und auf unser Ziel hin auszurichten, dann laufen wir unweigerlich Gefahr, immer wieder von unserer Hauptlinie abzuweichen und nebenaus zu geraten. Wir müssen deshalb danach trachten, unser Denken in geordnete Bahnen zu lenken und alle Abweichungen zu vermeiden, um möglichst rasch zu brauchbaren Ergebnissen zu gelangen.
Diszipliniertes Denken bedeutet, Gedanken folgerichtig an Gedanken zu reihen. Das ist besonders dann nicht einfach, wenn es Aufgaben zu bewältigen oder Probleme zu lösen gilt, bei denen nicht auf vorhandene Erfahrungen zurückgegriffen werden kann. Weil dabei viele Überlegungen auf uns eindrängen, die wir im ersten Moment noch nicht richtig einordnen können, hilft hier nur eines: der Griff zu Papier und Bleistift. In Stichworten notieren wir, was uns einfällt, um unseren Kopf von der Speicherung dieser Anregungen freizubekommen und ihn für die Ordnung der Gedanken benützen zu können. Bei Jongleuren hat man oft den Eindruck, dass sie mehr Dinge in der Luft umherwirbeln, als sie in den Händen halten könnten. Ungeordnete Gedanken machen uns zum Gedankenjongleur: alles ist in Bewegung und kann deshalb keine feste und geordnete Form annehmen.
Unsere Aufzeichnungen beginnen wir zu ordnen, indem wir zusammengehörende Gedanken in Gruppen zusammenfassen. Bereits bei diesem Vorgang kommen uns weitere Einfälle, die wir gleich den entsprechenden Gruppen zuordnen. Anschliessend bringen wir die Gedankengruppen in die richtige Reihenfolge, wobei es durchaus geschehen kann, dass wir dabei Lücken entdek-

ken, die es überlegungsmässig auszufüllen gilt. Wahrscheinlich stossen wir auch auf Stichworte, die sich beim Versuch, sie richtig einzugliedern, als für das Problem bedeutungslos erweisen und gestrichen werden können.
Es ist dabei keineswegs gesagt, dass uns das Ordnen gleich auf Anhieb gelingt. Das darf uns jedoch nicht entmutigen, sondern muss als Zeichen der noch ungenügenden gedanklichen Durchdringung betrachtet werden. Jetzt kommt es ganz besonders auf die Denkdisziplin an, weil gerade an diesem Punkt die Bereitschaft zum Nachlassen, Pausenmachen und Abschweifen am grössten ist. Weil man scheinbar nicht mehr voran kommt, fühlt man sich abgespannt und möchte kurz abschalten. Diesen Punkt gilt es zu überwinden, denn er stellt sich immer dann ein, wenn eine besondere gedankliche Anstrengung notwendig ist, um das Hindernis zu bewältigen. Ist der Durchbruch gelungen, dann ist schlagartig auch die Ermattung verflogen.
Dieser gedankliche Ordnungsvorgang lässt sich mit dem Lösen von Kreuzworträtseln vergleichen. Sobald wir an den wesentlichen Stellen die richtigen Begriffe gefunden haben, lässt sich von da aus folgerichtig weiterbauen, und Schritt für Schritt nimmt das Gedankengebäude eine feste und übersichtliche Form an.
Eine gute Arbeitstechnik beginnt mit dem richtigen Denken. Deshalb haben wir darüber in diesem Kapitel einige Betrachtungen angestellt. Mit den Fragen des Denkens befassen sich Menschen seit der Antike, und es bliebe deshalb – wäre es vorgesehen – darüber noch manches von Bedeutung zu sagen. Weil wir den Rahmen und die Zielsetzung dieses Bandes nicht sprengen wollen, müssen wir es mit dem bereits Gesagten bewenden lassen und schliessen das Kapitel mit einem Wort von Rousseau:

> «Von Natur aus ist der Mensch nicht zum Denken geneigt,
> Denken ist eine Kunst, die er, wie alle übrigen Künste,
> ja noch schwieriger als diese, erlernt.»

3 Die Verbesserung der persönlichen Arbeitstechnik

3.1 Handeln ist leicht

«Handeln ist leicht, Denken schwer, nach dem Gedachten zu handeln unbequem.» Goethe sagt es in Wilhelm Meisters Lehrjahre und trifft damit genau den Kern der Sache.
Das Handeln fällt dann besonders leicht, wenn es ohne belastende Überlegung geschieht, ganz einfach nach Gutdünken und wie man es für den Augenblick richtig findet. Fällt dabei das Ergebnis zufälligerweise richtig aus, dann ist alles in Ordnung. Lässt das Ergebnis jedoch zu wünschen übrig oder befriedigt gar nicht, dann kommt man meistens nicht darum herum, sich darüber Gedanken zu machen, wie sich das Resultat verbessern oder das verfehlte Ziel doch noch erreichen lässt. Hat man durch Nachdenken erkannt, was richtigerweise zu tun ist, dann findet man dieses Handeln oft zu aufwendig oder unbequem, und hofft auf einem einfacheren Weg doch noch ans Ziel zu gelangen.
Wo man hoffen muss, dass es gelinge, aber davon nicht überzeugt ist, da ist gleich von Anfang an die Wahrscheinlichkeit des Misslingens mit eingeschlossen. Damit ist auch das, was man dabei mithofft, nämlich Zeit zu gewinnen, in Frage gestellt. Misslingt es dann tatsächlich, war der ganze Aufwand umsonst, und dann beginnt man eben nochmals, und nun zwangsläufig richtig.
In Goethes Wort liegt eine weise Erkenntnis, die wir uns für die Verbesserung unserer Arbeitstechnik nutzbar machen müssen. Wenn auch das Handeln nach gründlicher Überlegung einen grösseren Aufwand bedingt, so führt es doch rascher zum Ziel.

3.2 Was ist Schreibtischarbeit?

Jeder Beruf hat seine besonderen Arbeitstechniken. Besonders augenfällig sind sie bei geschickten Handwerkern, weniger offen-

sichtlich dagegen bei der Schreibtischarbeit. Das hat seinen guten Grund. Der Handwerker verarbeitet oder bearbeitet sichtbare Dinge, der Schreibtischmensch meistens unsichtbare Informationen, die ihren Niederschlag auf einem Papier oder in einem Formular finden.
Etwas abstrakt ausgedrückt, werden am Schreibtisch Informationen empfangen, gespeichert oder weiterverarbeitet und weitergeleitet. Diese Informationen gelangen auf verschiedene Arten zum Empfänger: schriftlich, telefonisch oder mündlich durch persönlich Anwesende. Bestimmte Informationen müssen unverzüglich weiterverarbeitet und weitergeleitet werden, andere wiederum sind aufzubewahren, weil sie erst in einem späteren Zeitpunkt benötigt werden. Dann allerdings sollten sie ohne zeitraubendes Suchen unverzüglich verfügbar sein. Die Schreibtischtätigkeit besteht somit im wesentlichen aus Lesen, Schreiben, Rechnen und Ordnen, wobei das Lesen oft mehr oder weniger weitgehend durch das Hören – z. B. Telefongespräche, Besuche von Klienten usw. – ersetzt wird.
Einzelne Schreibtischarbeiten wiederholen sich oft und in gleicher Form, andere fallen nur hin und wieder an, und eine dritte Art ist zwar häufig, bedingt jedoch stets eine andere Bearbeitung. Somit kann auch am Schreibtisch nicht alles über den gleichen Leisten geschlagen werden.

3.3 Für jede Arbeitsart die optimale Ausführungsart

Für jede Art von Arbeit gibt es eine optimale Art der Ausführung, bei der Aufwand und Ergebnis in einem angemessenen Verhältnis zueinander stehen. Diese optimale Ausführungsart gilt es auch am Schreibtisch zu finden. Geht ein Handwerker mit einem zu kleinen oder zu grossen Hammer oder mit der falschen Zange ans Werk, dann fällt dies bedeutend eher auf als die falsche Arbeitstechnik am Schreibtisch. Der Griff nach dem falschen Schraubenschlüssel ist visuell deutlicher erfassbar als die falsche Überlegung am Schreibtisch, die sich nicht sogleich als unzweckmässig herausstellen muss.
Der erste Schritt zur optimalen Art der Ausführung erfolgt am Schreibtisch durch die gedankliche Zuordnung der einzelnen Ar-

beiten in die vier wesentlichen Ausführungsarten. Es sind dies folgende:

Einfache Einmalarbeiten
Routinearbeiten
Dispositionsarbeiten
Geistig-schöpferische Arbeiten

3.4 Die Ausführung einfacher Einmalarbeiten

Als einfache Einmalarbeiten bezeichnen wir Tätigkeiten, die nicht häufig und nicht so regelmässig anfallen, dass sie zur Routine werden können. Der Vorteil der Routinearbeit, nämlich die genaue Kenntnis der Abwicklungsart, ist bei ihnen nicht gegeben.
Es kann sich dabei beispielsweise um Einladungen zur Verlängerung eines Zeitschriftenabonnements oder einer Verbandsmitgliedschaft handeln, aber auch um Anzeigen von demnächst stattfindenden Tagungen und Kursen, Bestellaufforderungen für ein neues Adressbuch und anderes mehr.
Die nötigen Entscheidungen fallen meistens leicht. Soll das Zeitschriftenabonnement verlängert oder die Verbandsmitgliedschaft beibehalten werden, wird der Aufforderung entsprochen. Aus taktischen Gründen erreichen uns solche Aufforderungen meistens ohnehin erst dann, wenn es zu einer Abbestellung oder einem Austritt bereits zu spät ist. Will man zukünftig auf das eine oder andere verzichten, was in diesem Fall erst in einem Jahr wieder geschehen kann, muss jedoch bereits jetzt dafür gesorgt werden, dass der Kündigungs- oder Austrittstermin im kommenden Jahr nicht wieder verpasst wird. Das bedingt eine entsprechende Vormerkung im Taschenterminkalender oder in der Schreibtischagenda. Selbstverständlich besteht auch die Möglichkeit, und auch sie fällt in den Bereich einer rationellen Arbeitstechnik, die Zeitschrift jetzt schon auf Ablauf der Verlängerung abzubestellen.
Weil diese einfachen Einmalarbeiten nur sporadisch anfallen und keinen grossen Aufwand bedingen, erübrigt sich dafür eine besondere Arbeitstechnik, es sei denn, man würde bereits den folgenden Ratschlag als Teil einer Arbeitstechnik betrachten: Solche kleinen Arbeiten werden am besten gleich sofort erledigt. Wenn man sie nämlich schon vor sich liegen und von ihr Kenntnis ge-

nommen hat, ist der Erledigungsaufwand am geringsten. Das hat zudem den Vorteil, dass die Unterlagen nicht mehr in den Berg des «Unerledigten» geraten und ihn unnötig anwachsen lassen.

3.5 Leistungssteigerung durch Routinearbeit

Mancher am Schreibtisch Tätige zuckt schmerzlich zusammen und sein Gesicht erhält einen leidenden Ausdruck, wenn er das Wort «Routinearbeit» hört. Viele Menschen stellen sich nämlich unter Routinearbeit eine jahrein-jahraus gleichbleibende, geisttötende und höchst langweilige Tätigkeit vor. Damit dieses wichtige Kapitel von denjenigen, die auf Routine allergisch reagieren, nicht einfach übersprungen wird, ist gleich zu Beginn eine Klärung notwendig.

Des Grossen Dudens Herkunftswörterbuch weiss uns über den Begriff folgendes zu berichten: Routine bedeutet (handwerksmässige) Gewandtheit, Fertigkeit, Übung, Erfahrenheit. Das Wort entstand im 18. Jahrhundert aus dem gleichbedeutenden französischen «routine», das als Ableitung von «route» dem Sinne nach eigentlich *Wegerfahrung* bedeutet. Ein Routinier ist demzufolge ein Wegkundiger, der aus Erfahrung weiss, wie er ans Ziel gelangt. Der Begriff «Routine», wie wir ihn hier verwenden, muss im ursprünglichen Sinn als Wegerfahrung oder auch als Gewandtheit im Zurücklegen eines bestimmten Weges verstanden werden.

In industriellen Unternehmungen wurde durch eine oft falsch verstandene Spezialisierung die Arbeitsteilung so weit getrieben, dass es tatsächlich Leute gab und auch heute noch gibt, die jeden Tag in endloser Wiederholung von Arbeitsbeginn bis Arbeitsschluss die gleichen wenigen Handbewegungen ausführen, und das oft sogar jahrelang. Begreiflicherweise behagt vielen Arbeitnehmern diese stets gleichbleibende Tätigkeit gar nicht, andere haben sich damit abgefunden und einige wenige sind sogar damit zufrieden. Die Überlegung, die zu dieser übertriebenen Aufgliederung führte, war nicht grundsätzlich falsch, ging man doch davon aus, dass häufige Wiederholung zu grosser Fertigkeit und damit zu höherer Leistung führt. Dabei übersah man allerdings oft, dass eine Beschränkung auf wenige Handgriffe zu einer Arbeitsmonotonie führte, die alles andere als erwünscht war. Diese Art Routine ist hier nicht gemeint, denn selbst in der Industrie hat man inzwi-

schen gemerkt, dass sie auf die Dauer nicht zu befriedigen vermag.
Wenn wir hier von Routine sprechen, dann ist damit ausschliesslich die erwähnte Wegerfahrenheit gemeint, die uns rascher ans Ziel führen soll. In den meisten Berufen gibt es Vorgänge, die sich wöchentlich, täglich oder sogar stündlich mehrmals wiederholen und dadurch im Laufe der Zeit vielleicht langweilig werden können. Gerade deshalb muss man danach trachten, sie möglichst gewandt und rasch auszuführen, um sich dann wiederum interessanteren Arbeiten zuwenden zu können.

3.51 Routinegeeignete Arbeiten zu Routinearbeiten machen

Nur wenige Menschen befinden sich in der beneidenswerten Lage, immer wieder vor neue Aufgaben gestellt zu werden und die Wiederholung nicht zu kennen. Sind diese Menschen wirklich so beneidenswert? Stets neue Aufgaben bewältigen heisst nichts anders, als mit beträchtlicher Anstrengung stets neue Wege und neue Lösungen suchen. Für sie entfällt die geistige Entspannung und die Erholung, die in der weniger anstrengenden Wiederholung liegt, sofern man es versteht, die Wiederholung so zu gestalten, dass sie auch zur Erholung wird.
Das Gegenteil ist weitaus häufiger und demzufolge die Klage weit verbreitet: «Dieser tägliche Kleinkram reibt mich auf und hindert mich an sinnvollerem Tun.» Tatsache ist denn auch, dass mancher, der anspruchsvollere Aufgaben zu bewältigen imstande wäre, zu viel Zeit für die sich in kleineren oder grösseren Intervallen wiederholenden Arbeiten aufwenden muss, weil er es nicht versteht, diese Arbeiten zu vereinfachen und zu beschleunigen. Der stereotype Rat für solche Fälle lautet: delegieren. Delegieren, Aufgaben an andere abtreten, ist dann möglich, wenn jemand zur Verfügung steht, der diese Arbeiten übernehmen kann. Wo dies nicht der Fall ist oder die dafür in Frage kommende Person schon so ausgelastet ist, dass sie lieber Arbeit abtreten als übernehmen möchte, taugt der Ratschlag nicht viel.
Selbsthilfe wird deshalb notwendig. Da wir weder Arbeiten abtreten noch auf ihre Ausführung verzichten können, liegt die Möglichkeit, Zeit zu gewinnen, einzig und allein darin, bestimmte Arbeiten in kürzerer Zeit zu bewältigen. Es gilt die Erfahrung zu nutzen,

dass Wiederholung zu grösserer Fertigkeit und höheren Leistungen führt. Dabei muss man sich allerdings bewusst sein, dass im handwerklichen und industriellen Bereich die Wiederholung vor allem die manuelle Geschicklichkeit steigert, die in diesem Umfang am Schreibtisch nicht wirksam werden kann. Hier kommt es nicht auf die ausgeklügelte Griffreihenfolge, sondern auf die arbeitssparende Folge der einzelnen Überlegungen an, denn das Schwergewicht liegt ja nicht bei der manuellen Abwicklung, sondern bei der überlegungsmässigen Leistungsverdichtung. Dass wir uns dabei auch Bewegungen und Gänge sparen, indem wir beispielsweise nur einmal aufstehen, um einen Ordner und gleichzeitig auch noch einige andere benötigte Dinge zu holen, ist eine Folge konsequenter Überlegungen.
Wichtig ist nun, zu erkennen, welche Arbeiten routinegeeignet sind. Das ist bei all jenen Vorgängen der Fall, die sich in kürzeren oder auch längeren Abständen wiederholen und eine gleichartige Erledigung bedingen oder eine gleichartige Erledigung gestatten. Gerade letzteres ist besonders wichtig, weil oft völlig unbewusst über Jahre hinweg Arbeiten sehr unterschiedlich abgewickelt werden, obschon dazu keine zwingende Notwendigkeit besteht und eine Vereinheitlichung sogar wesentliche Vorteile bringen kann.
Wir übersetzten Routine mit Wegerfahrung. Diese Wegerfahrung machen wir uns zu Nutzen, wenn wir sie für die Erledigung immer wieder anfallender Arbeiten anwenden. Die Leistungssteigerung wird dadurch erzielt, dass wir uns nicht immer wieder überlegen müssen, welche Arbeitsschritte in welcher Reihenfolge notwendig sind, sondern schnell und zielgerichtet ans Werk gehen können und dabei sicher sind, nichts unterlassen zu haben, das wir später mit grösserem Aufwand nachholen müssen.

3.52 Arbeitsanleitungen und Checklists tragen zur Routine bei

Um routinegeeignete Arbeiten zu Routinearbeiten zu machen, überdenken wir die verschiedenen möglichen Ausführungsarten und wählen diejenige als Norm aus, die uns den grössten Nutzen bietet. Der grösste Nutzen besteht dabei nicht etwa in der einfachsten Abwicklungsart, sondern oft sogar in einer etwas aufwendigeren Arbeitsweise, wenn wir uns damit in einem späteren

Zeitpunkt mehr Zeit sparen können, als wir jetzt dafür aufwenden müssen. Oft besteht der wesentliche Vorteil gerade darin, dass wir die sporadisch anfallenden und über Wochen verteilten Arbeiten zusammenfassen und miteinander erledigen, weil wir jetzt alle benötigten Angaben ohnehin vor uns liegen haben. Später können wir uns darauf beschränken, beispielsweise in das Konnossement und in die Begleit- und Ausfuhrpapiere nur noch die Brutto- und Nettogewichte und Kistenzeichen einzutragen, statt uns nochmals in den ganzen Vorgang zu vertiefen.
Besteht ein Routinevorgang aus mehreren Arbeitsschritten, dann ist es durchaus möglich, dass wir diese bereits eine Woche später nicht mehr genau im Kopf haben und demzufolge nicht mehr routinemässig vorgehen können. Deshalb ist es nicht nur empfehlenswert, sondern sogar eine arbeitstechnische Bedingung, die einzelnen Schritte genau aufzunotieren, also eine Arbeitsanleitung oder Checklist anzufertigen, auf die wir bei Bedarf zurückgreifen können. Diese Arbeitshilfen widersprechen der Routine, der Wegerfahrenheit, keineswegs, denn diese kann ebenso gut auf dem Papier vorhanden sein und damit das Gedächtnis entlasten.
Nützlich sind diese Arbeitsanleitungen oder Checklists nur, wenn sie sich mit einem Griff hervorholen lassen und nicht gesucht werden müssen. Also bleibt zu überlegen, wie und wo wir sie aufbewahren wollen und welches Format dafür in Frage kommt.
Folgende zwei Möglichkeiten empfehlen sich:
Wir können in unserer Kartei eine Reiterkarte mit «Arbeitsanleitungen» oder «Checklists» anschreiben. Die einzelnen Routineanleitungen werden in diesem Fall auf Karteikarten oder Zettel im Format DIN A6 geschrieben. Aus Platzgründen drängt sich eine stichwort- oder telegrammstilartige Darstellung auf, wobei der besseren Erfassbarkeit wegen für jeden neuen Arbeitsschritt eine neue Zeile zu benützen ist. Als Titel ist an den oberen Rand der Karte eine genaue Bezeichnung des Vorgangs zu setzen, z.B. «Prüfen und Kontieren von Lieferantenrechnungen».
Werden die Anleitungen in einem Ordner oder Ringbuch (vgl. auch 4.6) aufbewahrt, drängt sich die Verwendung des Formates DIN A4 auf. Auch bei diesem grösseren Format kann eine gedrängte Darstellung gewählt werden. Wird in Erwägung gezogen, die Routinearbeiten bei Abwesenheit durch eine Drittperson ausführen zu lassen, dann ist eine ausführlichere Beschreibung erforderlich. Um dennoch die rasche Erfassbarkeit zu wahren, können auf die linke Blattseite die Stichwortangaben und auf die rechte Blatthälfte die

ausführlichen Vorgehensangaben gesetzt werden. Damit ist sowohl den Routiniers wie auch den Anfängern gedient, ohne dass jeweilen im gegebenen Moment lange mündliche Erklärungen, die ohnehin kaum vollständig behalten werden können, erforderlich werden. Mit der Überreichung einer klar abgefassten Anleitung wird mehr zum Erfolg beigetragen als mit der längsten mündlichen Erläuterung.
Mit zunehmender Routine werden diese Anleitungen immer weniger und schliesslich gar nicht mehr zu Rate gezogen, mit Ausnahme derjenigen Vorgänge, die sich nur in längeren Intervallen wiederholen. Gerade bei diesen sind die Arbeitsanleitungen besonders nützlich.

3.53 Routinearbeiten routinemässig erledigen

Im Abschnitt 2.7 haben wir untersucht, woher die Startschwierigkeiten beim Denken rühren. Wir haben dabei festgestellt, dass das menschliche Gehirn eine Art «Input» benötigt durch Informationen von aussen und Abruf von im Gedächtnis gespeicherten Informationen, um auf volle Leistungsbereitschaft zu kommen.
Routinearbeit am Schreibtisch ist zwar eine normierte Tätigkeit, die wir mit entsprechender Übung auswendig beherrschen. Das heisst nun aber nicht, dass wir dazu nicht denken müssen, die Arbeit also gedankenlos ausführen können. Ganz ohne zu denken können nicht einmal einfache manuelle Tätigkeiten ausgeübt werden. Bei der doch wesentlich anspruchsvolleren Routinearbeit am Schreibtisch müssen wir den Kopf schon bei der Sache haben. Was wir auswendig kennen, ist die Folge der einzelnen Tätigkeiten, doch was bei jedem Arbeitsschritt getan werden muss, bedarf dennoch der Überlegung.
Um eine Routinetätigkeit ausüben zu können, müssen wir uns das Ablaufprogramm in Erinnerung rufen, also eine im Gedächtnis gespeicherte Information hervorholen und damit die Arbeitsbereitschaft erstellen. Nun wissen wir, dass beispielsweise das Kontrollieren und Kontieren von Rechnungen, die kostenstellenmässig unserer Abteilung belastet werden, sich wie folgt abspielt:

- Zu kontrollierende Rechnung bereit legen.
- Angebot hervorholen.
- Preise miteinander vergleichen.

- Beträge nachrechnen.
- Rechnung in Budgetkontrolle eintragen.
- Rechnung kontieren.
- Richtigkeit der Rechnung durch Signum bestätigen.
- Rechnung an Buchhaltung weiterleiten.
- Erledigtes Angebot ablegen oder zur Ablage weiterleiten.

Auch ein einfacher Vorgang hat, wie aus diesem Beispiel hervorgeht, eine ganze Anzahl Arbeitsschritte. Diese in sinnvoller Reihenfolge, also «wegerfahren» zu erledigen, spart Zeit und Aufwand. Noch mehr Zeit sparen Sie sich, wenn Sie gleichartige Routinearbeiten zusammenfassen, also einmal im Tag fünf Rechnungen kontrollieren und kontieren, statt fünfmal im Tag je eine Rechnung zu überprüfen. Mit jedem Arbeitsschritt bearbeiten Sie jeweilen fünf Rechnungen. Das bedeutet:

- Sie müssen die Abwicklungsinformation nur einmal aus dem Gedächtnis abrufen.
- Sie legen alle fünf Rechnungen zur Prüfung bereit.
- Sie holen die entsprechenden Angebote hervor und legen Sie zu den Rechnungen.
- Sie vergleichen die Angebotspreise mit den Rechnungspreisen und überprüfen gleichzeitig die Liefer- und Zahlungsbedingungen.
- Damit sind die fünf Angebote bereits erledigt, und nun rechnen Sie noch die Beträge nach.
- Sie greifen ein einziges Mal zum Budgetordner und tragen die Beträge in die verschiedenen Blätter (Inserate, Prospekte, Büromaterial, Büromaschinenunterhalt und Fachliteratur) ein. Weil Sie auf den Budgetkontrollblättern auch gleich die Kontonummer vermerkt haben, kann die Kontierung gleichzeitig geschehen, und wenn Sie diesen Eintrag in den Buchungsstempelaufdruck machen, können Sie praktisch mit der gleichen Handbewegung
- mit Ihrem Signum die Richtigkeit der Rechnung bestätigen.
- Es bleibt dann nur noch die gebündelte Weiterleitung der Rechnungen an die Buchhaltung und
- die gebündelte Weitergabe der Angebote zur Ablage.

Nun mag vielleicht der eine oder andere in Arbeitstechnik noch nicht bewanderte Leser einwenden: «Das mag alles gut und recht sein, aber im Grunde genommen sind es doch kleine Fische, die damit gefangen werden.» Richtig, es sind kleine Fische, doch viele kleine Fische sind bald einmal mehr als ein grosser Fisch. Sechs Mal im Tag zehn Minuten gespart, ergibt genau die Stunde, die Ihnen täglich fehlt. Es gibt zahlreiche Möglichkeiten, fünf, zehn oder auch fünfzehn Minuten bei einer Arbeit einzusparen, aber wenig Gelegenheiten, auf einmal eine volle Stunde herauszuwirtschaften, und zwar aus folgendem Grund:

Es gibt zwar bei der Schreibtischarbeit auch Tätigkeiten, die den ganzen Tag beanspruchen, doch häufiger ist, dass sich das Tagespensum aus verschiedenen Arbeiten zusammensetzt, die von wenigen Minuten bis zu zwei oder drei Stunden dauern. Von drei Stunden eine zu erübrigen, dürfte schwer fallen. Durch bessere Arbeitstechnik je Stunde zwischen sechs und zehn Minuten, im Mittel also etwa acht Minuten zu gewinnen, liegt durchaus im Bereich des Möglichen. Dazu kommt noch folgendes: Wer die kleinen bis mittleren Gelegenheiten, Zeit zu gewinnen, ungenützt lässt und auf die grosse Gelegenheit zur grossen Zeiteinsparung wartet, der wird selten zum Zug kommen. Und wenn doch einmal die Möglichkeit dazu besteht, wird er sie nicht nützen können, weil ihm die «Wegerfahrung» fehlt. Wer es jedoch versteht, die zahlreichen kleinen Gelegenheiten zu nützen, der schärft seinen Sinn für die rationelle Arbeitsausführung und übt seine Arbeitstechnik. Beides zusammen schafft die besten Voraussetzungen, um auch grosse Chancen wahrzunehmen. «Das gute Gelingen ist zwar nichts Kleines, fängt aber mit Kleinigkeiten an», erkannte schon Sokrates.

Doch zurück zu unserer Forderung, Routinearbeiten auch routinemässig abzuwickeln. Bei Arbeiten, die wir zum ersten Mal ausführen, fehlt uns die «Wegerfahrung», und deshalb müssen wir uns überlegen, wie wir sie bewältigen und das Ziel erreichen können. Verschiedenes, das wir dazu unternehmen, erweist sich nachträglich als unnötig oder zu aufwendig, anderes wiederum als nicht ausreichend. Bis wir den richtigen Weg gefunden haben, sind wir einige Male auf Nebenstrassen und in Sackgassen geraten. Wir radieren, werfen zwei oder drei begonnene Entwürfe in den Papierkorb, reissen den halbfertigen Brief aus der Schreibmaschine – kurz und gut: Wir verlieren Zeit dabei. Zeit gewinnen können wir dort, wo wir den besten Weg zum Ziel kennen. Ihn nicht zu begehen, wäre eine Verschwendung unseres Leistungsvermögens. Deshalb müssen wir danach trachten, alles, was sich routinemässig abwickeln lässt, auf diese für uns vorteilhafte Art zu erledigen.

3.54 Routinearbeiten vereinfachen

Würden Sie gefragt, ob Tomatenpflücken eine Routinearbeit sei, die man auch Hilfskräften nach kurzer Instruktion zumuten könne, würden Sie wahrscheinlich ohne Bedenken zustimmen. Auch die Farmer in Illinois waren dieser Auffassung, mussten sich jedoch bei der Ablieferung ihrer Tagesernten eines Besseren belehren lassen, wurde doch beanstandet, dass die Tomaten einen unterschiedlichen Reifegrad aufwiesen. Nebst schönen, vollreifen Früchten fanden sich in ihren Ablieferungen auch zahlreiche, die den Wünschen der Grossabnehmer nicht entsprachen. Ermahnungen an die Erntehelfer brachten nicht das gewünschte Resultat, und dabei wurde offensichtlich, dass selbst diese scheinbar einfache Arbeit ihre Probleme hatte. Die Pflücker mussten nämlich bei jeder Tomate entscheiden, ob sie ausgereift war oder nicht, und das fiel manchem ausgesprochen schwer. Weil die Farmer an den ungenügend ausgereiften Früchten Geld verloren, suchten sie nach einer Möglichkeit, auch den Entscheidungsvorgang zur Routine zu machen. Sie besorgten sich Nagellack in der genauen Farbe reifer Tomaten. Damit bemalten sich männliche und weibliche Tomatenpflücker die Fingernägel und hatten von nun an keine Schwierigkeiten mehr, herauszufinden, welche Tomaten reif waren und welche nicht.
Es ist nicht gesagt, dass zur Routine gemachte Arbeiten auch stets auf die rationellste Art abgewickelt werden. Eine Überprüfung der Erledigungsart empfiehlt sich deshalb immer wieder. Mit zunehmender Erfahrung zeigen sich neue Möglichkeiten zur weiteren Vereinfachung. Erinnern Sie sich noch an die in Abschnitt 1.4 erwähnte flinke Japanerin? Obschon sie bei ihrer Arbeit eine bemerkenswerte Geschwindigkeit entwickelt hatte, zeigte sich bei genauer Überprüfung, dass durch die Ausmerzung unnötiger Bewegungen der Arbeitsgang weiter vereinfacht und mit geringerer Anstrengung sogar eine grössere Leistung erzielt werden konnte.

3.6 Dispositionsarbeit – eine Tätigkeit zwischen Routine und Kreativität

Früher einmal, gewissermassen in der Pionierphase der Büroarbeit, bezeichnete man den Büroangestellten als Kopfarbeiter. Um

den Kopf, dieses wichtige Hilfsmittel, gebührend zu unterstreichen, trug man einen weissen Kragen. «White-collar worker» nannte man deshalb die Büroleute in englischsprechenden Ländern. Inzwischen hat man längst erkannt, dass Kopfarbeit ein recht dehnbarer Begriff ist. Man begann deshalb zu unterscheiden zwischen *geistig-ausführender* Tätigkeit und *geistig-schöpferischer* Tätigkeit. Im ersten Fall braucht man das Denken zur Steuerung einer ausführenden Tätigkeit, wie es beispielsweise das Rechnen, Schreiben und Ordnen ist, und im zweiten Fall ist der Geist schöpferisch tätig. Geistig-schöpferisch tätig sein heisst durch Gedankenarbeit etwas neu schaffen.
Die routinemässig ausführbare Schreibtischarbeit gehört in die Kategorie der geistig-ausführenden Tätigkeit. Geistig-schöpferisch tätig ist beispielsweise der Verkaufsleiter, der neue Absatzstrategien entwickelt, der Werbetexter, der Konstrukteur und viele andere mehr, die kleine und grosse Probleme bearbeiten und dafür die geeignete Lösung finden. Zwischen diesen beiden Bereichen liegt ein Zwischenfeld, das sich zum Teil routinemässig bearbeiten lässt, zum Teil aber auch geistig-schöpferische Leistungen erfordert. Bis dafür eine bessere Bezeichnung gefunden wird, wollen wir diesen Zwischenbereich als Dispositionstätigkeit bezeichnen.
Im Gegensatz zum Karteiführer, der genau und zuverlässig die Lagerzu- und -abgänge nachführen muss und eine rein geistig-ausführende Tätigkeit ausübt, hat beispielsweise der Einkäufer oder Sortimentsgestalter eines Modehauses nebst der geistig-ausführenden auch geistig-schöpferische Arbeit zu leisten und aus dem so vielfältig Angebotenen das auszuwählen, was sich im nächsten Sommer oder Winter gut verkaufen lässt. Er kann sich dabei nur sehr bedingt auf die Gegenwart oder Vergangenheit stützen und muss deshalb eine neue Konzeption für sein zukünftiges Sortiment schaffen.
Die Dispositionsarbeit, wie wir sie hier verstanden haben wollen, ist ihrer Natur nach eine geistig-ausführende Tätigkeit, die in dem Sinne mit schöpferischen Elementen durchsetzt ist, als es dabei gilt, Entscheidungen zu treffen, die eine gedankliche Durchdringung des Problems erfordern. Hier gilt es nun, den Anteil der Arbeit herauszufinden, der routinemässig ausgeführt werden kann, um dadurch Zeit zu gewinnen für die notwendige Überlegungsarbeit. Mit anderen Worten: Im Sinne einer guten Arbeitstechnik sind hier die Vorteile der Routine mit den Anregungen des nächsten Abschnittes möglichst vorteilhaft zu verbinden.

3.7 Die geistig-schöpferische Tätigkeit wirksamer gestalten

Geistig-schöpferische Arbeiten stellen die höchsten Anforderungen an den Bearbeiter, denn es handelt sich dabei um Aufgaben, die nicht nach einem bereits bestehenden Ablaufschema behandelt werden können, sondern eine geistig-schöpferische Leistung bedingen, die oft auch einen entsprechend grossen Zeitaufwand verlangen.

3.71 Gleiches nur einmal denken

Der Dramatiker Friedrich Dürrenmatt sagt in «Die Physiker»: «Was einmal gedacht wurde, kann nicht mehr zurückgenommen werden.» Ein inhaltsschwerer Gedanke, über den nachzudenken sich bestimmt lohnt. Wir wollen hier nicht auf seine Tiefgründigkeit eintreten, sondern ihn nur in seiner äusseren Form der Aussage von Edgar Schumacher über die verlorene Zeit gegenüberstellen: Verschwendete Zeit und verschwendete Denkarbeit kann uns niemand zurückbringen. Beides wurde von uns nicht genützt, blieb wirkungslos und ist für uns unwiederbringlich verloren.
Stellen wir uns folgendes vor: Wir haben in einer geschäftlichen Angelegenheit von grundsätzlicher Bedeutung einen Entscheid zu treffen. Damit dieser Entscheid auch wirklich richtig ausfällt, tragen wir gedanklich alle Faktoren zusammen, die dabei zu berücksichtigen sind, und wägen diese Faktoren sorgfältig gegeneinander ab, um festzustellen, welche für den Entscheid ausschlaggebend sind und welche nur untergeordnete Bedeutung haben. Gestützt auf diese sorgfältige Überlegung fassen wir unseren Entschluss und geben unseren Entscheid bekannt. Damit ist die Angelegenheit für uns erledigt. Einige Zeit später haben wir uns wieder in einer ganz ähnlichen Angelegenheit zu entscheiden und könnten dabei weitgehend nach dem früher benützten Denkmuster vorgehen. Leider ist es nicht mehr vorhanden, weil wir es damals nicht in Stichworten aufgezeichnet und inzwischen natürlich längst vergessen haben. Also setzen wir uns erneut hin und suchen wiederum nach den ergebnisbestimmenden Faktoren. Damit leisten wir zur Beschaffung der Entscheidungsstruktur die gleiche Denkarbeit, die wir Monate zuvor auch schon erbracht haben.

Vielleicht ist Ihnen diese Tatsache bis heute gar nicht aufgefallen, weil Sie es als naturgegeben betrachteten, in kleinen oder grösseren Intervallen immer wieder die gleichen Entscheidungskriterien erarbeiten zu müssen. Dass dazu wirklich keine Notwendigkeit besteht, werden Sie sofort feststellen, wenn Sie das nächste Mal die wesentlichen Punkte einer periodisch wiederkehrenden Überlegungsvorganges notieren und diese das übernächste Mal wieder zu Rate ziehen. Wenn Sie mit einem Griff das Beurteilungsschema vor sich liegen haben und die einzelnen Punkte durchgehen, werden Ihnen wahrscheinlich noch einige weitere Faktoren einfallen, mit denen Sie das Schema ergänzen und verfeinern können. Sie ersparen sich bei diesem Vorgehen somit nicht nur Denkaufwand und Zeit, sondern Sie können gleichzeitig auch Ihre Methode laufend verbessern, weil Sie neu gefundene Gesichtspunkte immer wieder mit einbauen können.
Nun gibt es allerdings auch Leute, die zwar den Nutzen eines solchen Vorgehens sofort einsehen, es jedoch trotzdem nicht anwenden, weil sie aus Erfahrung wissen, dass sie im gegebenen Moment ihre Aufzeichnungen nicht mehr finden. Das illustriert, wie komplex der Bereich der persönlichen Arbeitstechnik ist. Es geht nicht nur darum, sich Denk- und Arbeitshilfen zu schaffen, sondern es geht auch darum, sich eine zuverlässige Ordnungstechnik anzueignen. Darauf werden wir in einem späteren Kapitel ausführlich zu sprechen kommen, denn die Ordnungstechnik ist ein sehr wesentliches Element der Arbeitstechnik.

3.72 Denkergebnisse festhalten

Im vorangegangenen Abschnitt haben wir dafür plädiert, sich wiederholende Denkvorgänge in geordneter Reihenfolge zu notieren, um sie bei Bedarf wieder beiziehen zu können und damit einen neuen aufwendigen Denkvorgang zu ersparen. Nun gibt es aber auch – scheinbar – einmalige Entscheidungen, bei denen es wertvoll ist, später auf die Begründung, warum wir so und nicht anders entschieden haben, zurückgreifen zu können. Denken wir dabei an folgendes:
Vor zwei Jahren haben wir uns überlegt, ob die Teilnahme an einer jährlich wiederkehrenden Fachmesse nützlich und sinnvoll sein könnte. Nach gründlicher Überprüfung verzichteten wir auf die Teilnahme. Aus irgendeinem Grund wird diese Frage plötzlich wie-

der aktuell. Weil inzwischen zwei Jahre verflossen sind, können wir uns zwar noch gut daran erinnern, dass wir damals berechtigte Gründe für den Verzicht hatten, doch ist uns nicht mehr gegenwärtig, welches diese Gründe waren. Hätten wir sie damals in einer kurzen Aktennotiz festgehalten, könnten wir jetzt ohne zusätzlichen Aufwand darauf zurückgreifen und überprüfen, ob die damaligen Überlegungen auch heute noch Gültigkeit haben. Weil uns aber solche Aufzeichnungen fehlen, bleibt uns nichts anderes übrig, als die Frage erneut nach den verschiedenen Gesichtspunkten zu überlegen und Aufwand und mutmasslichen Ertrag gegeneinander abzuwägen.
Zu dieser Anregung sind aus dem Kreis derjenigen, die es damit noch nie versucht haben und die demzufolge den sich bietenden Nutzen noch nicht kennen, die folgenden zwei Einwände üblich:

- Wenn alles, was wir einmal denken, auch noch schriftlich festgehalten werden soll, kommen wir mit unserer Arbeit überhaupt zu keinem Ende.
- Diese Aufschreiberei mag gut und recht sein, doch wie sollen wir Jahre später noch wissen, wo wir diese Aufzeichnungen wieder auffinden können.

Zum ersten Einwand ist folgendes zu bemerken: Wie wir bereits in Abschnitt 3.52 erkannten, bringt es tatsächlich eine kleine Mehrarbeit mit sich, nebst dem für den Moment Notwendigen auch noch gleich für zukünftige Fälle vorzusorgen, doch beträgt die spätere Einsparung an Zeit und Aufwand ein Mehrfaches davon. Die gute Arbeitstechnik, das sei hier betont, besteht nicht bloss darin, die gegenwärtige Arbeit zu rationalisieren, sondern sie besteht ebenso sehr darin, unter Ausnützung der bereits geleisteten Arbeit auch die zukünftig möglichen Wiederholungen zu vereinfachen und die dafür günstigen Voraussetzungen zu schaffen. Dazu reicht ein kleiner Mehraufwand von wenigen Minuten in der Regel aus.
Als Schreibtischwerker kommen Sie nicht darum herum, das Schreiben als Ihr hauptsächliches Rüstzeug anzuerkennen. Was für den Maler der Pinsel und für den Maurer die Pflasterkelle ist für Sie Papier und Schreibzeug. Ganz unter uns die Frage: Wären Sie nicht schon oft froh gewesen, wenn Sie sich über ein Gespräch, eine mündliche Abmachung oder einen gefällten Entscheid eine kurze Notiz gemacht hätten? Beherrschen Sie die Stenographie,

diese praktische Kurzschrift? Gewiss, sie ist etwas aus der Mode gekommen, seit die Diktiergeräte ihren Einzug in das Büro hielten, doch wurde sie seit jeher nicht richtig als das erkannt, was sie eigentlich ist: ein wertvoller Helfer für alle Schreibtischarbeiter und nicht bloss notwendiges Rüstzeug für Sekretärinnen. Wenn Sie bei Ihren Notizen wirklich Zeit einsparen wollen, dann holen Sie Ihre beinahe vergessenen Kurzschriftkenntnisse wieder ins Gedächtnis zurück und schon haben Sie die Zeit gewonnen, die Sie für die angeregten Aufzeichnungen benötigen.
Und nun zum zweiten Einwand: Das Wiederauffinden solcher Aufzeichnungen kann ein Problem sein, aber es muss kein Problem sein. Es ist einzig und allein eine Frage Ihres Ordnungssystems. Hat Ihre Ordnung wirklich System, dann entsteht das Problem überhaupt nicht.

3.73 Folgerichtig denken

Falls Sie Wintersport treiben und Skilaufen, werden Sie sich möglicherweise noch an Ihre ersten Gehversuche auf den sportlichen Brettern erinnern. Abwechslungsweise versuchte eines der Bretter nach links oder rechts auszubrechen, hin und wieder überkreuzten sie sich und gelegentlich rutschten Sie seitwärts oder gar rückwärts ab, obschon Sie vorwärts strebten. Ähnliches geschieht nur allzu gern auch beim Denken, denn unser Denken wird nicht durch Schienen gesteuert und von selbst auf gerader Bahn gehalten. Genau wie beim Skilaufen müssen wir die Richtung bestimmen und durch unsere Disziplin dafür sorgen, dass es kein Ausbrechen nach dieser oder jener Seite gibt. Aus eigener Erfahrung wissen Sie, wie leicht das gedankliche Abschweifen und wie schwierig das Konzentrieren ist.
Ein Denkvorgang ist eigentlich eine Analyse, das Auflösen oder Zergliedern eines Ganzen in seine Teile, und gegebenenfalls auch eine Synthese, also das Zusammenfügen der einzelnen Teile zu einem Ganzen. Hier kann uns weiterhelfen, wenn wir uns angewöhnen, in Fragen zu denken. Damit wir zielgerichtet fragen können, brauchen wir eine klare Zielsetzung, und bereits da können sich die ersten Fragen ergeben, nämlich z. B.: «Wie lautet das genaue Ziel?» – «Ist diese Zielsetzung richtig und ist sie klar formuliert?» – «Lässt sich die Zielsetzung (Gesamtziel) in Teilziele aufgliedern?» usw.

Indem wir uns Fragen stellen, zwingen wir unser Denkvermögen, Antworten zu produzieren, und aus diesen Antworten können sich wiederum neue Fragen ergeben, die ihrerseits wiederum neue Antworten hervorrufen. Auf diese Weise nähern wir uns Schritt für Schritt unserem gesetzten Ziel. Warten wir ohne Fragestellung auf den erleuchtenden Einfall und betrachten inzwischen die Bilder an der Wand oder gucken aus dem Fenster, dann kann es sehr lange dauern, bis uns Brauchbares einfällt.

Und schon kommt wiederum die alte Forderung: Schreiben Sie! Schreiben Sie auf, was Ihnen einfällt, auch wenn Sie es im Moment noch gar nicht logisch einordnen können. Sie nehmen damit Ihrem Kopf die «Haltearbeit» ab. Sie erinnern sich noch an die letzte Party, zu der Sie eingeladen waren: In der einen Hand das Glas, in der anderen das Sandwich, und nun sollten Sie auch noch Händeschütteln. Das ging nicht; Sie mussten sich zuerst eine Hand frei machen, um diese zusätzliche Funktion auszuüben. Muten Sie Ihrem Kopf nicht mehr zu als Ihren Händen. Entlasten Sie ihn durch Ihre Notizen.

Versuchen Sie schliesslich Ihre Notizen folgerichtig zu gliedern. Wo Ihnen das nicht gelingt, ergeben sich neue Fragen und damit auch neue Antworten. Damit schliessen sich Gedankenschritt um Gedankenschritt die Lücken. Je konzentrierter Sie dabei vorgehen, je weniger Sie gedanklich seitwärts ausbrechen oder sich ablenken lassen, um so rascher gelangen Sie ans Ziel.

3.74 Gedankensplitter sammeln

Bei Denkvorgängen fallen oft Gedankensplitter an, die mit dem Problem keinen Zusammenhang haben, sondern sich im Gefolge einer Denkfrage oder einer Antwort einstellen. Wenn Sie beispielsweise eine Werbeaktion gedanklich durchspielen und Ihnen dabei eine Frage oder eine Antwort einfällt, die in diesem Zusammenhang bedeutungslos ist, jedoch in einem anderen Zusammenhang prüfenswert wäre, dann dürfen Sie diese aus Gründen der Denkdisziplin im Moment nicht weiterverfolgen. Da jedoch die Frage oder Antwort nur aus einer bestimmten Gedankenkonstellation heraus entstehen konnte und demzufolge nicht so bald wieder auftauchen dürfte, wäre es reine Verschwendung, sie einfach wieder zu vergessen. Auch hier hilft eine kurze Notiz, um sie zu einer späteren Behandlung vorzumerken.

3.75 Gute Ideen nicht verschwenden

Ebenfalls als Nebenprodukt eines Denkvorganges können gute Ideen anfallen, die jedoch in keiner Beziehung zu dem gedanklich zu bewältigenden Problem stehen. Nun, Sie wissen es bereits: Notieren!

Wenn die Idee so gut ist, dass Sie diese auf keinen Fall mehr vergessen werden, dann dürfen Sie trotzdem nicht auf das Aufschreiben verzichten. Sie müssen nämlich in der vorgegebenen Linie weiterdenken und damit die gute Idee aus Ihrem Bewusstsein verdrängen. Erinnern Sie sich am Schluss wirklich noch an die gute Idee? Wahrscheinlich nicht, denn bestimmt haben Sie schon längst die Erfahrung gemacht, dass man selbst unvergesslich scheinende Ideen spielend vergessen kann. Zwar fällt einem Stunden oder Tage später ein, dass man eine wirklich gute Idee hatte, aber worin sie bestand, lässt sich nicht mehr ermitteln, weil der Anknüpfungspunkt fehlt und man nicht mehr weiss, in welchem Zellenspeicher des Gedächtnisses man sie abrufen muss.

Weil Notizen über gedankliche Nebenprodukte meistens kurz und spontan ausfallen, empfiehlt es sich, diese am Ende des Denkvorganges zu ergänzen, damit auch später noch klar daraus hervorgeht, was damit gemeint ist. Wenn Sie nach Tagen oder Wochen einen Zettel in die Hand nehmen, auf dem lediglich «Schuh der Venus» steht, dann wissen Sie nicht mehr, ob das eine neue Blumensorte für Ihren Garten oder der Titel eines Buches ist, das sich Ihre Frau zum Geburtstag wünscht. Wahrscheinlich ist es beides nicht, sondern ein festgehaltener Gedankenblitz für ein Zeitungsinserat oder vielleicht auch die Bezeichnung für einen besonders eleganten Strandschuh.

Gewiss ist Ihnen auch schon aufgefallen, dass es Leute gibt, die kaum jemals auch nur die bescheidenste neue Idee haben, und wieder andere, die dauernd mit kleineren oder grösseren Ideen aufwarten können. Wer es versteht, die in vielen Denkprozessen so nebenher anfallenden Gedanken für den gegebenen Moment vorzumerken, der wird bestimmt zu der zweiten Kategorie gehören.

3.76 Keine gelösten Probleme nochmals selber lösen

Wir deuteten bereits früher an, dass man auch zu viel Denkarbeit leisten kann. Das ist dann der Fall, wenn wir Probleme zu lösen beginnen, die vor uns schon andere durchaus befriedigend gelöst haben. Mit grossem zeitlichen und geistigen Aufwand nach Lösungen zu suchen, die mit bedeutend weniger Aufwand in der Fachliteratur gefunden oder bei Fachleuten erfragt werden können, ist unrationell. Wo diese Möglichkeit besteht, müssen unsere ersten Denkfragen wie folgt lauten:

- Wer hat das gleiche oder ein sehr ähnliches Problem?
- Wie kann ich die dafür gefundene Lösung in Erfahrung bringen?

In Fachzeitschriften finden sich oft vorzügliche Lösungen für Probleme, die wir selber – noch – nicht haben. Dieses eingeschobene «noch» ist für unsere Arbeitstechnik wichtig. Weil wir das Problem noch nicht haben, interessiert uns auch die Lösung nicht. Später, wenn das Problem auch für uns aktuell geworden ist, können wir uns vielleicht noch daran erinnern, einmal irgendwo eine wirklich gute Lösung gesehen zu haben. Aber wo? Natürlich kommen wir nur in den seltensten Fällen darauf. Hätten wir damals, als wir die Lösung vor Augen hatten, in unsere Überlegungen das «noch» eingeschoben, hätten wir anders reagiert. Im Hinblick auf die Möglichkeit, später einmal für die Lösung Verwendung zu haben, hätten wir vorsorglicherweise zu einem Karteizettel gegriffen und uns den Fachschriftenaufsatz vorgemerkt. Später, im Bedarfsfall, haben wir mit einem Griff in unsere Wissenskartei den genauen Hinweis, wo wir die Lösung finden können. Sind für eine solche Arbeitserleichterung zwei Minuten Aufwand für das Anlegen des Karteizettels zu viel? Wohl kaum.

Es sei deshalb hier nochmals wiederholt, was wir bereits festgestellt haben: Die Verbesserung unserer Arbeitstechnik beschränkt sich nicht darauf, unsere gegenwärtige Arbeit zu vereinfachen, sondern sie besteht auch darin, gegenwärtige Möglichkeiten für zukünftige Vereinfachungen zu nutzen.

3.8 Die richtigen Arbeitsmittel wählen und schaffen

Am Memorial Gate der University of Pennsylvania ist in lateinischer Sprache folgende Inschrift zu finden:

> Wir werden einen Weg finden
> oder wir werden einen Weg machen.

Aus diesen einfachen und gerade deshalb so stark wirkenden Worten spricht die geradezu wunderbare Überzeugung, dass ein vorwärtsstrebender Tatendrang einen Weg zum Ziel finden wird oder, wenn es ihn noch nicht gibt, die schöpferische Tatkraft einen Weg zu schaffen vermag. Diese Inschrift muss in Gedanken auch über unseren Bestrebungen zur Verbesserung unserer persönlichen Arbeitstechnik stehen.

In unseren bisherigen Darlegungen kam immer wieder zum Ausdruck, dass wir bei unserer Arbeitstechnik auf zweckmässige Arbeitsmittel angewiesen sind. Zum Teil bestehen sie schon, und es gilt demzufolge nur noch, sie zu finden. Weil die persönliche Arbeitstechnik jedoch stark individuelle Züge aufweist, sind auch die Arbeitsmittel zum Teil recht individuell und demzufolge nicht im Handel zu finden. Hier gilt es, den Weg und die Mittel zu schaffen, die wir für unsere durchdachte Arbeitsweise benötigen.

Einige dieser Arbeitsmittel werden im nächsten Kapitel vorgestellt. Sie haben sich in der Praxis bewährt und können mit grosser Wahrscheinlichkeit auch Ihnen Nutzen bieten, doch ist damit nicht gesagt, dass Sie für Ihren Bedarf nicht noch Besseres schaffen können. Übernehmen Sie deshalb nur das unverändert, was sich für Sie eignet, und verbessern Sie, was Ihnen in dieser Form noch nicht genügt.

4 Arbeitstechnik und Arbeitsmittel

Was sich bei unserer Tätigkeit mit Hilfe von Apparaten, Maschinen und anderen technischen Hilfsmitteln flink und arbeitssparend erledigen lässt, soll hier nicht weiter erläutert werden, ebenfalls nicht die mit diesen Geräten verbundenen Anwendungstechniken, weil vorausgesetzt werden darf, dass sich jeder, der bei seiner Arbeit Zeit gewinnen will, den Vorteil dieser Hilfen schon weitgehend zu Nutzen gemacht hat.
Wer sich in seinem Aufgabenbereich nicht lediglich mit täglich fast unverändert wiederkehrenden Arbeiten zu befassen, sondern wer auch Aufgaben zu lösen hat, die ihm immer wieder neue Überlegungen abfordern, wird bald einmal feststellen, dass er dabei weitgehend auf sich und seine persönliche Arbeitstechnik gestellt ist. Weder Maschinen noch Apparate können ihm hier eine merkliche Entlastung und Zeiteinsparung bieten, weil diese Hilfsmittel vor allem auf den grossen Bereich der rein ausführenden Tätigkeit zugeschnitten sind.
Den Bereich des Überlegens, des Suchens nach geeigneten Lösungen haben wir bereits behandelt. Eng mit ihm verbunden ist der Bereich des geordneten Festhaltens erarbeiteter Ergebnisse oder Teilergebnisse, um sie entweder gleich zur Weiterverarbeitung verfügbar zu haben oder sie in einem späteren Zeitpunkt bei Bedarf abrufen zu können. Damit haben wir gedanklich auch schon den dritten Bereich betreten, nämlich den Problemkreis des systematischen Speicherns von Informationen zum Zwecke einer späteren Nutzbarmachung oder Wiederverwendung. Weil hier das eine vom anderen abhängt, kommt der richtigen Wahl der geeigneten Arbeitsmittel eine grosse Bedeutung zu.

4.1 Das Notizbuch

Taschenkalender und Notizbuch sind für viele Leute begriffsmässig dasselbe, obwohl sie unterschiedliche Aufgaben zu erfüllen haben und sich demzufolge auch in ihrer Art voneinander unter-

scheiden. Der Kalender hat ein Kalendarium, das Notizbuch dagegen leere Seiten zur Aufnahme von Notizen. Einige im Handel erhältliche Taschenkalender stellen eine Kombination von Kalendarium und Notizbuch dar. Viele von ihnen haben gewichtige Mängel, und diese machen sie für ausgesprochene Arbeitstechniker unbrauchbar. Ein wesentlicher Nachteil stellt das oft zu kleine Format dar, das sowohl im Kalendarium wie auf den Notizseiten zu wenig Raum für Eintragungen lässt. Ein weiterer Mangel besteht für fleissige Notierer, und das sind ja die meisten Arbeitstechniker, darin, dass zu wenig Notizblätter vorhanden sind, Bevor auch nur die ersten drei Monate des Jahres vorüber sind, ist das Notizpapier aufgebraucht. Nicht perforierte Blätter müssen, will man sie aufbewahren und einordnen, umständlich mit Messer oder Schere herausgeschnitten werden. Das Adressen- und Telefonnummernverzeichnis ist häufig ebenfalls fest eingebunden und muss deshalb jedes Jahr in den neuen Kalender übertragen werden. Wesentlich praktischer sind die Ringbuch-Kalender/Notizbücher, weil bei diesen die Ergänzung des Notizpapiers leicht möglich ist.
Wie verzweifelt oft nach einem Stück Notizpapier gesucht wird, muss hier wohl kaum geschildert werden, denn der Alltag bietet dazu genügend Anschauungsunterricht. Vom unbedruckten Zeitungsrand über den freien Raum auf Prospekten bis zu den Papierservietten und die Rückseite von Speisekarten und ähnlichem mehr wird benützt, was im gegebenen Moment gerade verfügbar ist. Dass diese Notbehelfe keine Lösung darstellen, liegt auf der Hand, und die Schlussfolgerung liegt nahe, dass derjenige, der sich auf diese Weise behelfen muss, über keine ausgefeilte Arbeitstechnik verfügt.
Wer notieren will, braucht dazu Papier und Schreibzeug. Das ist so selbstverständlich, dass es geradezu banal klingt, doch zeigt die Praxis immer wieder, dass Selbstverständliches nicht für jedermann selbstverständlich ist. Notizbuch und Bleistift, Kugelschreiber oder Füllhalter gehören in die Tasche des Arbeitstechnikers. Über die Ausführung des Notizbuches kann man sich dabei streiten. Der eine zieht das Taschenringbuch vor, weil er den Inhalt nach Bedarf zusammenstellen und ergänzen kann. Dem andern genügt ein Notizbuch mit einfacher Spiralheftung, weil sich auch da die Seiten leicht heraustrennen und zu den entsprechenden Akten oder in seine Nachschlagekartei legen lassen. Weniger praktisch dagegen ist das Notizbuch mit fest eingehefteten Seiten, denn diese zwingen zur Übertragung, und gerade das ist wieder-

um nicht rationell. Erledigtes muss durchgestrichen werden. Unerledigtes, das weiter zurückliegt, wird dabei gern vergessen, wenn nicht täglich zurückgeblättert und kontrolliert wird, was noch zu erledigen bleibt.

4.2 Notizblätter DIN A4

Fern vom Schreibtisch ist, sofern vorhanden, das Taschennotizbuch das übliche Mittel für Aufschreibungen aller Art. Am Schreibtisch jedoch gerät es in Vergessenheit. An seiner Stelle werden meistens die allgemein üblichen kleinen Notizzettel, die es sowohl in Blockform wie auch in praktischen Greifschachteln gibt, verwendet. Dieser Wechsel der Mittel ist eigentlich erstaunlich, doch fällt er nicht einmal den Benützern selbst auf. Damit zeigt sich einmal mehr, wie unkritisch man durch die Gewöhnung seiner eigenen Arbeitsmethode gegenüber werden kann.
Dieses Nebeneinander ist nicht ganz ungefährlich. Weil am Schreibtisch auf die Benützung des Taschennotizbuches verzichtet wird, werden dadurch oft häufiger als erwünscht die unterwegs gemachten und zur Erledigung im Büro bestimmten Notizen übersehen.
Ob das Format für die beliebten kleinen Erinnerungszettel durch die Sparsamkeit bestimmt wurde oder ob dabei auch arbeitstechnische Überlegungen mitspielten, lässt sich kaum eindeutig ermitteln. Die offensichtlichen Nachteile im praktischen Gebrauch lassen jedoch auf ersteres schliessen. Bleiben nämlich die Zettelchen unbeschwert auf dem Tisch liegen, genügt bereits ein leichter Luftzug, um sie durcheinanderzuwirbeln, in Aktenstücke zu blasen oder vom Tisch zu fegen. Geraten sie in Aktenstösse, sind sie schwer wieder zu finden, weil ihr Format nur einen Achtel eines Briefbogens ausmacht. Um diese ungewollten Eskapaden zu verhindern, werden verschiedene «Verankerungsmethoden» angewendet: Man klemmt die Zettel zur Hälfte unter die Schreibunterlagen oder heftet sie mit Büroklammern daran fest, man sammelt sie auf Häufchen und hält sie mit einem Briefbeschwerer beisammen, oder dann steckt man sie in eine jener «Unerledigt»-Klammern, die zu den kleinen Geschenken zählen, welche die Freundschaft erhalten, und deshalb auf zahlreichen Büroarbeitsplätzen anzutreffen sind.

Die genannten Aufbewahrungsarten haben gewichtige Nachteile. Die in irgendeiner Form aufeinandergeschichteten oder mit irgendwas beschwerten Zettel sind nicht mehr frei überblickbar und somit auch nicht mehr lesbar. Ausserdem ist die Dringlichkeitsreihenfolge dadurch nicht mehr erkennbar und damit der terminliche Überblick nahezu verunmöglicht. Die durch das Format erzwungene Aufbewahrungsart läuft somit dem Zweck der Zettel, nämlich uns an etwas zu erinnern, absolut entgegen und mindert ihre Wirkung und damit auch ihren Nutzen recht beträchtlich.
Dieser Mangel ist bekannt. Um ihm zu begegnen, bietet der Fachhandel eine Art Bucheinbände mit durchsichtigen Einstecktaschen an, in denen die kleinen Notizzettel schuppenförmig untergebracht werden können. Zweifellos ein nützliches Hilfsmittel, denn es gewährt die Übersicht, die für solche Merkzettel unbedingt erforderlich ist. Allerdings bedingt es das fortwährende Umstecken der Zettel, weil sich durch Neuzugänge und Erledigung immer wieder Verschiebungen in der Dringlichkeitsreihenfolge ergeben.
Man kann sich fragen, ob diese Notizzettel in der persönlichen Arbeitstechnik eine so bedeutende Rolle spielen, dass darüber drei Seiten Erläuterungen notwendig sind. Wer seine tägliche Arbeit wie geplant und nahezu störungsfrei vollbringen kann, den interessiert diese Notizzettelproblematik überhaupt nicht, weil sie für ihn nicht existiert. Für denjenigen jedoch, der sein tägliches Brot unter hektischen Bedingungen verdienen muss, ist ein gut funktionierendes Notizensystem eine unerlässliche Voraussetzung, um überhaupt seiner Aufgabe gerecht werden zu können. Notizen sind die Folge von telefonischen oder mündlichen Mitteilungen oder Anfragen, die einer Handlung rufen, oder sie werden durch eigene Überlegungen und Einfälle verursacht. Weil die notwendigen Handlungen nicht unverzüglich erbracht werden können, sei es, weil die Zeit im Moment dazu fehlt oder die entsprechende Aktion erst nach Vorliegen weiterer Informationen erfolgen kann, muss durch eine kurze Vormerkung festgehalten werden, wann was zu geschehen hat. Die Notizen werden damit zu einem ausserordentlich wichtigen Bestandteil des täglichen Arbeitsprogrammes, und es gilt nun, sie so zu gestalten, dass sie mit geringstem Aufwand gut überblickt werden können.
Eine wesentliche Hilfe zur übersichtlichen Gestaltung der täglichen Notizen bietet das Notizblatt im Format DIN A4, wie es in Abbildung 1 dargestellt ist. Es lässt sich mit geringem Aufwand selber gestalten und bietet je nach Feldhöhe für acht bis zehn No-

Abbildung 1: Sammel-Notizblatt, DIN A4

Datum: 12.2.75 Blatt: 12

	1	2	3	Datum	von / Anlass / an	Angelegenheit	Erledigung
1			|	12.	Messe Hannover	Einladung an Kunden entwerfen	
2	X			12.	Reisebüro	Flugkarte nach Wien bestellen. Hotelreservation	Tel. 12.2 (Hr. Marek)
3	|			12.	Holzapfel & Co Freiburg Hr. Müller	beanstandet Qualität der letzten Lieferung XP 12406 zu spröde? → 12/7	
4		|		12.	Abt. Leiter-sitzung vom 17.2	Traktandenliste	Interne Mitteilung an Abt. Leiter 12.2.
5	X			12.	Steinhard Grafiker	Entwurf Inserat annehmen	12.2. bringt ihn am 14.2.
6			|	12	Hüttner GmbH	Neue Preisliste anfordern	
7	|			12.	R. Meier	12/3 sofort abklären	
8							
9							

tizen in übersichtlicher Anordnung Raum. In der ersten Spalte wird der Dringlichkeitsvermerk angebracht. Was zuerst erledigt werden muss, erhält einen Strich im vordersten Feld der Spalte. Angelegenheiten der zweiten Dringlichkeitsstufe werden im Mittelfeld angezeichnet, und was gelegentlich zu erledigen ist, erhält den Terminstrich im rechten Feld. Mit einem einzigen Blick lässt sich damit die Dringlichkeit von acht bis zehn Notizen übersehen. Wer eine feinere Terminierung benötigt, kann die Terminspalten entsprechend erhöhen. Die Erfahrung zeigt jedoch, dass man in den meisten Fällen mit drei Stufen auskommt.
In die Datumspalte wird das Datum der Notiz eingesetzt, wobei Tag und Monat genügen. In der nächsten Spalte folgt der Vermerk, wer oder was Anlass zu der Aufzeichnung gab. In der folgenden Rubrik wird in Stichworten der Sachverhalt notiert. In der letzten Spalte wird die Erledigung mit dem Erledigungsdatum bezeichnet, wobei aber auch Vermerke über die Art der Erledigung angebracht werden können, z. B. «Brief vom...» oder «Tel. vom...» Gleichzeitig wird vorn in der Terminspalte der Terminstrich durchgestrichen.
Wer den bisherigen Zettelsalat auf seinem Schreibtisch als unbefriedigend und unübersichtlich empfunden hat, wird den Vorteil dieser übersichtlichen Lösung sofort erkennen.
Diese Notizblätter werden zweckmässigerweise in einem dünnen Aktenhefter aufbewahrt, dessen vorderer Deckel sich ganz umschlagen lässt, damit auf dem Schreibtisch dafür nur die Fläche eines DIN A4-Formats beansprucht wird. Damit dieses nützliche Hilfsmittel stets zur Aufnahme von Notizen bereit ist, muss es während der Arbeit offen auf dem Schreibtisch liegen und nicht irgendwo im Schreibtisch untergebracht sein. Offen auf dem Schreibtisch muss es auch deshalb liegen, damit man die Notizen stets vor Augen hat. Ist ein Blatt mit Eintragungen gefüllt, wird das nächste leere Blatt darüber gelegt. Bei der täglichen Erledigungskontrolle genügt beim Zurückblättern ein Blick auf die Erledigungsspalte rechts. Leere Felder zeigen an, dass die Notiz noch unerledigt ist. Weil durch die Terminierung die dringlichen Vormerkungen richtigerweise zuerst erledigt werden, darf es auf den weiter zurückliegenden Blättern keine unerledigten Notizen mit erster Dringlichkeit mehr geben. Weiter zurückliegende Notizen können gegebenenfalls nach vorn übertragen werden. Der Erledigungsvermerk lautet dann: → Blatt 14, woraus hervorgeht, dass die Notiz auf Blatt 14 vorgetragen wurde. Mehr als drei – bei zahl-

reichen Notizen höchstens fünf – Seiten sollte man zur Kontrolle nicht umblättern müssen.
Wer mit diesem Notizensystem arbeitet, wird die erledigten Blätter – im Gegensatz zu den Notizzetteln – kaum mehr wegwerfen, weil sie für ihn ein zusätzliches Informationsmittel darstellen. Da viele Notizen mündlich erledigt werden, bestehen darüber keine Akten. Stellt sich später die Frage, warum etwas nun doch nicht ausgeführt wurde, lässt sich die Art der Erledigung leicht nachschlagen, wobei sich dann möglicherweise zeigt, dass die Erledigung Herrn Weiss übertragen wurde und dieser entweder noch nicht dazu kam oder es vergessen hat. Gerade die Möglichkeit der nachträglichen Kontrolle wird den einen oder anderen Benützer dieser Notizblätter veranlassen, die Erledigungsspalte etwas breiter zu halten, um etwas mehr Raum für den Erledigungsvermerk zur Verfügung zu haben.
Es besteht die Möglichkeit, den Anwendungsbereich dieser Notizblätter weiter auszudehnen, indem man darin auch die an die Mitarbeiter erteilten Aufträge vermerkt und überwacht. Der Auftrag an Herrn Weiss würde in diesem Fall einen neuen Eintrag erhalten, wobei zur Arbeitseinsparung auf die neuerliche Beschreibung des Sachverhaltes verzichtet und durch einen kurzen Vermerk, z. B. 12/3 (= Blatt 12, Eintragung 3), auf die bereits an anderer Stelle vorhandene Eintragung hingewiesen werden kann.
Bei grösserem Umfang der an Mitarbeiter erteilten Aufträge sind die persönliche Notizenliste und die Auftragsüberwachungsliste zu trennen. Die Notizen über Angelegenheiten, die wir selber zu erledigen haben, müssen wir täglich mehrmals überfliegen, die Überprüfung der Mitarbeitertermine jedoch ist täglich nur einmal notwendig. Durch die Trennung der beiden Arbeitsmittel wird jedes für sich übersichtlicher und entspricht damit dem Ziel unserer Arbeitstechnik besser.
Damit sollen die Notizzettel im Kleinformat nicht von unserem Schreibtisch verdrängt werden. Gerade derjenige, der täglich eine Vielzahl telefonischer Anrufe erhält, ist nach wie vor dankbar für diese kleinen Helfer, und zwar aus folgendem Grund: Bei Beginn des Gespräches weiss man nicht, ob sich daraus eine Notiz ergeben wird. Wer sich vorsorglicherweise Firma und Name des Anrufenden notiert und gegebenenfalls noch einige Stichworte dazu setzt, kann dies ohne zusätzlichen Aufwand während des Zuhörens tun. Erledigt sich die Angelegenheit gleich, wandert der Zettel in den Papierkorb. Andernfalls übertragen wir die Notizen rasch

auf unser Notizblatt, das auf diese Weise nicht unnötig aufgebläht wird. Wem es öfter widerfährt, dass der Apparat erneut klingelt, kaum ist der Hörer auf die Gabel zurückgelegt, der weiss den Nutzen dieser «Nebenher-Notizen» zu schätzen. Er kann sich dann voll auf das zweite Gespräch konzentrieren und muss sich nicht bemühen, gleichzeitig auch noch das Wesentliche aus dem ersten Gespräch im Kopf zu behalten, um es dann anschliessend zu Papier zu bringen. Kleinigkeiten, ganz einverstanden. Vergessen wir dabei jedoch nicht, dass sich unsere Welt aus lauter kleinen Teilchen, also aus Kleinigkeiten, zusammensetzt.

4.3 Notizzettel DIN A6 (Karteizettel)

Wer Vorträge und Fachveranstaltungen besucht, kann dabei folgende Beobachtung machen:
Je nach Art der Veranstaltung hört ein kleiner oder grösserer Teil der Anwesenden zu und verzichtet auf Notizen, während andere Zuhörer mehr oder weniger fleissig mitschreiben. Interessant ist nun die Feststellung, was die Mitschreibenden als «Informationsträger» benützen. Recht verbreitet ist die Gewohnheit, die meist unbedruckte Rückseite der Einladung zu beschreiben. Wo es der Veranstalter unterlassen hat, von einer Unternehmung zu Werbezwecken gespendete Blöcke mit Reklameaufdruck aufzulegen, beginnt oft das grosse Suchen in sämtlichen Anzugtaschen, und was dann in der Not als Notizpapier dienen muss, verdient diese Bezeichnung oft kaum. Es gibt aber auch Teilnehmer, die sich selber richtig ausgerüstet haben und über eigene Blöcke oder Notizbücher verfügen.
Betrachtet man nun diese so verschiedenartigen Hilfsmittel kritisch, dann drängt sich die Frage auf, wer nun klüger handelt: die, die sich auf unzulängliche Art Notizen machen, oder die, die zum vornhinein darauf verzichten und einfach zuhören. Im Endeffekt kommt nämlich beides nur allzu häufig auf dasselbe hinaus. Die Nichtschreiber haben später keine Aufzeichnungen und die behelfsmässig Schreibenden finden später ihre Aufzeichnungen nicht mehr. Man darf deshalb wohl ohne Übertreibung behaupten, dass mit dem Schreiben eine ungeheure Verschwendung getrieben wird. Das Problem liegt dabei sowohl in der Form der Aufzeichnungen wie auch bei der sinnvollen Aufbewahrung des Ge-

schriebenen, wobei beides miteinander zusammenhängen kann. Notizen auf der Rückseite von Papieren, deren Vorderseite wir anderweitig benötigen, sind zum vorhinein verloren, und zwar nicht nur deswegen, weil sich kaum jemand die Mühe nimmt, um sie auf ein neues Blatt zu übertragen, sondern weil oft gar nicht mehr bemerkt wird, dass auf der Rückseite auch noch etwas steht.

Das eigentliche Problem stellt sich bei der zweckmässigen Aufbewahrung des Geschriebenen, denn nur sie ermöglicht ein späteres Wiederauffinden und damit eine praktische Verwendung der Notizen.

Wer Vorträge und Fachveranstaltungen besucht, tut dies wohl kaum in der Absicht, längst Bekanntes wieder einmal zu hören, sondern vor allem wohl deshalb, um sich über die Entwicklung in seinem Fach- und Interessenbereich zu informieren oder um neue Impulse und Anregungen für seine berufliche Tätigkeit oder seine privaten Hobbies zu erhalten. Anregungen, die wir unverzüglich in die Tat umsetzen, müssen wir nicht unbedingt notieren. Vormerkungen für eine spätere Verwirklichung dagegen gehen gern vergessen, wenn wir sie nicht schriftlich festhalten. Sie gehen aber auch in schriftlicher Form vergessen, wenn wir unsere Notizen im gegebenen Zeitpunkt nicht mehr auffinden.

Dabei müssen wir davon ausgehen, dass wir schon nach kurzer Zeit unter der Fülle der täglich auf uns einströmenden Informationen meist nicht mehr mit Sicherheit sagen können, woher wir eine Information erhalten haben. Eine Aufbewahrung nach der Informationsquelle scheidet damit zum vornherein aus. Das ist kein Nachteil, denn eines Tages haben wir nicht nur vergessen, woher wir die Information haben, sondern auch, dass wir überhaupt eine solche Information haben. Könnten wir nämlich wirklich alles im Kopf behalten, dann wäre das Aufschreiben, Einordnen und Aufbewahren eine glatte Zeitverschwendung. Wenn wir jedoch einmal eine Information über beispielsweise «Hygiene im Büro» benötigen, dann müssen wir unter diesem Schlagwort finden, was wir darüber jemals gesammelt haben.

Damit zeigt sich, und das ist sehr wesentlich, dass die Notizen über einen Vortrag, der mehrere Bereiche berührt, nicht unter einem einzigen Schlagwort eingeordnet werden können. Und damit stellt sich auch die Frage, wie die Notizen anzufertigen sind, um sie zielgerichtet in unserer Wissenskartei unterbringen zu können. Gehen wir gleich von Anfang an richtig vor, haben wir weder beim Einordnen noch beim Wiederfinden Probleme.

Was uns bereits bekannt ist, notieren wir nicht, denn damit belasten wir unsere Wissenskartei nur unnötig. Wir picken aus dem Dargebotenen nur die Rosinen heraus, und da wir diese ohnehin getrennt einordnen, schreiben wir sie auch gleich getrennt auf. Dazu verwenden wir vorteilhafterweise kariertes Notizpapier im Format A6 (105 × 148 mm), das genügend gross ist, um darauf – nötigenfalls auf Vorder- und Rückseite – das Wesentliche unterzubringen. Unsere Wissenskartei, die im übernächsten Kapitel erläutert wird, richten wir im gleichen Format ein. Weil wir damit in der Normreihe bleiben, können wir in die Kartei ausnahmsweise auch gefaltete A5- oder A4-Formate aufnehmen, obschon die Kartei nicht eigentlich für diese grösseren Formate vorgesehen ist.
Wollen wir Notizbuch und Wissenskartei so miteinander verzahnen, dass wir unsere Notizen ohne Umschreiben auf Karteizettel der Kartei einverleiben können, dann müssen die Formate übereinstimmen. Das heisst, dass wir entweder ein Taschennotizbuch im A6-Format wählen oder Taschenkalender und Notizzettel voneinander trennen müssen. Der Taschenkalender, den wir dann nur noch zum Vormerken von Terminen benützen, kann dann ein beliebiges Format haben, und die Notizzettel werden in der Brieftasche aufbewahrt. Sollte der Gedanke Sie befremden, weil Sie in der Brieftasche vor allem Ihr Notengeld aufbewahren, dann bedenken Sie doch, dass dieser nützliche Leder- oder Kunstlederbehälter nicht Geld- sondern Brieftasche heisst und die Bezeichnung somit eindeutig darauf hinweist, dass sie zumindest ursprünglich zur Aufbewahrung von Geschriebenem diente. Portefeuille, die französische Bezeichnung dafür, heisst doch eigentlich Blattträger und zeigt damit an, dass Papier schon seit jeher darin Unterschlupf fand. Schlimm kann es zudem keineswegs sein, wenn neben dem Geld auch noch Geist zu finden ist.
Doch zurück zu unseren Karteizetteln als Arbeitshilfsmittel. Beschriften wir sie direkt in Vorträgen oder Besprechungen, dann lassen wir oben einige Zeilen frei, um nachträglich das entsprechende Stich- oder Schlagwort einzusetzen und den Quellenhinweis anzubringen. Machen wir uns jedoch ausführliche Notizen, die wir zu Hause auswerten, dann legen wir unsere Karteizettel auch zu Hause an und beschriften sie in diesem Fall mit der Schreibmaschine, weil dies rascher geht und auch Kopien ermöglicht, die unter einem weiteren Schlagwort eingeordnet werden können.

Abbildung 2: Karteifertiger Zettel mit Vortragsnotizen, DIN A6

658.3-052.22

Wesentliche Chefeigenschaften:
Kompliziertes vereinfachen / Sorgen, dass etwas geschieht

Vortrag "Manager in der Praxis" v. Dir. C. Haller, 7.3.75

Führungskräfte benötigen die Fähigkeit, komplizierte Dinge klar zu erfassen und das wirklich Entscheidende rasch zu erkennen, wobei es keine Rolle spielen darf, in wie vielen Worten es versteckt ist. Um komplizierte Sachverhalte auch für die Mitarbeiter verständlich zu machen, müssen Vorgesetzte zudem die Gabe haben, das Wesentliche klar und deutlich herauszuarbeiten und die vorhandenen Zusammenhänge erfassbar aufzuzeigen. Mit anderen Worten: Sie müssen es verstehen, Kompliziertes auf den einfachsten Nenner zu bringen.

Das ist die Voraussetzung für die zweite notwendige Vorgesetzteneigenschaft, die darin besteht, Anweisungen so zu erteilen, dass tatsächlich etwas geschieht.

Abbildung 3: Karteifertiger Zettel mit Notizen aus einem Fachzeitschrift-Artikel, DIN A6

331.85

Fachzeitschriften und Berufserfolg

SKZ Nr. 1 v. 5. 1. 73

Ergebnis einer Umfrage bei 400 Arbeitnehmern in verschiedenen Berufen:

		x)
229	haben eine Fachzeitschrift abonniert oder erhalten sie regelmässig vom Betrieb oder von Kollegen geliehen.	48
118	lesen eine Fachzeitschrift nur, wenn sie ihnen zufällig in die Hände kommt.	10
53	lesen überhaupt keine Fachzeitschrift	2

x) davon auf Spezialistenposten oder in leitender Stellung

4.4 Das Leitblatt

Was für eine Kartei richtig ist, muss nicht zwangsläufig für alle anderen Aufbewahrungsarten ebenfalls richtig sein. Die zweckmässigste Form der Aufzeichnung von Informationen ergibt sich aus der Art der Weiterverarbeitung oder aus der Art der Aufbewahrung. Eine Kartei erfordert aus systematischen Gründen die Einordnung der Notizen nach bestimmten Gesichtspunkten. Um diese Einordnung ohne zusätzlichen Aufwand zu ermöglichen, wurde im vorangehenden Kapitel die sachgebietsmässige Trennung und Aufteilung der Notizen auf verschiedene Karteizettel angeregt.
Wo weder von der Weiterverarbeitung noch von der Aufbewahrung her die Notwendigkeit besteht, ist die Aufgliederung der Notizen auf zahlreiche kleinformatige Zettel zu unterlassen. Bereits beim Notizenblatt sahen wir, dass eine Zusammenfassung der Notizen auf einem übersichtlich gestalteten grösseren Bogen Vorteile bringt.
Haben wir beispielsweise einen Artikelkatalog neu zu gestalten, eine Werbeschrift auszuarbeiten oder in unserer Unternehmung einen Arbeitsablauf zu reorganisieren, ergibt sich die Notwendigkeit, sich von mehr oder weniger zahlreichen Stellen die benötigten Informationen zu beschaffen. Halten wir diese auf Zetteln im Kleinformat fest, entsteht daraus recht bald ein dickes, unübersichtliches Bündel. Damit ist uns kaum gedient, und deshalb müssen wir uns nach einer besseren Lösung umsehen.
Für jede Stelle, die uns in diesem Zusammenhang mit Informationen bedient, legen wir ein DIN A4-Blatt an, auf dem wir die Informationen festhalten und auch spätere Ergänzungen anbringen. Wir suchen nun nicht mehr in einem Berg von Zetteln nach einer einzelnen Notiz, sondern wir finden alles, was wir beispielsweise mit dem Grafiker über die Gestaltung der Werbeschrift besprochen und vereinbart haben, übersichtlich auf dem gleichen Blatt, wobei die einzelnen Besprechungen mit Datum versehen sind. Damit sind unsere Aufzeichnungen bereits nach Informationsstellen geordnet. Nun gilt es, die einzelnen Blätter und die von Besprechung zu Besprechung umfangreicher werdenden zusätzlichen Unterlagen, Entwürfe und Skizzen in eine geordnete Reihenfolge zu bringen. Dazu eignet sich ein Schnellhefter oder – bei grösserem Aktenanfall – ein Ordner mit einem alphabetischen oder numerischen Griffregister. Um die Übersicht zu behalten und zu wissen, unter welchem Buchstaben oder unter welcher Nummer

bestimmte Unterlagen zu finden sind, wird das Anlegen eines *Leitblattes* notwendig.
Im engsten Sinne ist das Leitblatt ein Inhalts- oder Aktenverzeichnis. Wir können jedoch bedeutend mehr daraus machen, wenn wir es zu einem richtigen Arbeitsmittel ausbauen, das Inhaltsverzeichnis auf die Rückseite verbannen und dafür die Vorderseite für die Zielsetzung und die Planung des Vorgehens benützen. Wir erläutern die Benützung zweckmässigerweise gleich an Abbildung 4.

Gegenstand — Als Titel setzen wir eine Kurzbezeichnung ein, beispielsweise «Neuer Artikelkatalog», «Reorganisation der Aktenablage» usw.

Beginn- und Abschlussdatum — Das Beginndatum setzen wir bei der Arbeitsaufnahme ein, das Abschlussdatum nach Beendigung. Die beiden Angaben orientieren uns bei späterem Nachschlagen nicht nur darüber, aus welchem Jahr die Unterlagen stammen, sondern auch über die Bearbeitungszeitspanne.

Auftrag Anregung Problem — Die Kurzbezeichnung in der Titelrubrik gibt oft nur unvollständig an, was die Zielsetzung insgesamt umfasst. Oft werden mehrere Ziele gleichzeitig angestrebt, beispielsweise eine einheitliche Aktenablage für alle Abteilungen, die Kennzeichnung der Akten mit beschränkter und unbeschränkter Aufbewahrungsdauer, die Regelung der Aktenausleihe und anderes mehr. Deshalb wird in diesem Feld die Zielsetzung zwar knapp, aber vollständig umschrieben, und gegebenenfalls werden auch die Randbedingungen festgelegt.

Anlass, Ursache — Die Aufgabe oder die Zielsetzung wird oft klarer oder besser verstanden, wenn bekannt ist, welches die auslösende Ursache ist. Anlass für die Reorganisation der Aktenablage gab z.B. der Verkaufsleiter, weil sein Personal oft Mühe hat, auf Jahre zurück die Unterlagen zu finden, die für Garantiearbeiten, Revisionen,

Abbildung 4: Leitblatt

LEITBLATT

Datum: Reg.Verm.

Gegenstand:

Auftrag, Anregung, Problem:

Anlass, Ursache:

Plan des Vorgehens:	Termin	Erl.Datum

Ergebnisse, Erledigung:

Datum: Bearbeiter:

Ergänzungen:

Änderungen und Ergänzungen früher gelieferter Anlagen und Einrichtungen benötigt werden. Dieser Mangel muss somit durch die Reorganisation ausgemerzt werden.

Plan des Vorgehens

Es lohnt sich bereits bei kleinen Aufgaben, das richtige Vorgehen zu planen. Bei grösseren Aufgaben ist es für jeden Arbeitstechniker eine Selbstverständlichkeit. In diesem Feld werden die einzelnen Etappen des Vorgehens festgelegt und, falls erforderlich, auch terminiert.

Ergebnisse Erledigung

Zur späteren raschen Orientierung werden hier nach Abschluss der Arbeiten die Ergebnisse oder die Art der Erledigung festgehalten.

Bearbeiter

Benützen nur wir selber solche Leitblätter, erübrigt sich diese Angabe. Arbeiten jedoch auch unsere Mitarbeiter damit, ist es später oft nützlich, aus dieser Angabe zu ersehen, wer sich mit der Angelegenheit befasst hat.

Ergänzungen

Nachträgliche Änderungen der ursprünglichen Lösung sind im Anhang zum Leitblatt zu beschreiben und zu begründen, gleichzeitig aber auch in diesem Feld zu vermerken, damit mit einem Blick erfasst werden kann, welche Änderungen die ursprüngliche Lösung erfahren hat.

Für das Leitblatt benützen wir einen einfachen Vordruck, den wir selber entwerfen und kopieren oder vervielfältigen. Statt uns auf irgendeinen Zettel Notizen über eine bevorstehende Aufgabe zu machen, beginnen wir gleich mit dem Ausfüllen des Leitblattes. Diese ersten Eintragungen beschränken sich oft auf die Kurzbezeichnung, das Beginn-Datum und das Ausfüllen des Feldes «Anlass, Ursache». Sobald wir Zeit gefunden haben, uns die genaue Zielsetzung zu überlegen, füllen wir das Feld «Auftrag, Anregung, Problem» aus. Daraus ergibt sich dann der «Plan des Vorgehens». Der arbeitstechnisch wesentliche Nutzen des Leitblattes besteht darin, dass bereits die erste Notiz zu einem Vorgang, der einen

Abbildung 5: Leitblatt-Rückseite

DATUM	POS	TEXT	HINW.	
1975 4.3.	1	<u>Informationssitzung über das Firmenjubiläum</u> Teilnehmer: Dir. B. Martin, K. Mesmer, R. Keller, A. Renner, D. Schmidt Zur Feier des 100jährigen Bestehens der Firma werden vorgesehen: a) Jubiläumsfest für die Mitarbeiter b) Tag der offenen Türe für Kunden und Lieferanten c) Jubiläumsschrift, jedoch nicht im üblichen Sinn: Nur wenige PR-Seiten über die Unternehmung, Hauptteil als praktischer technischer Ratgeber von Dauerwert für unsere Kunden. Durchführung der einzelnen Aufgaben: a) K. Mesmer b) R. Keller c) A. Renner Gesamtleitung und Koordination: Dir. B. Martin Nächste Vorgehensschritte: 1. Nötige Informationen je Aufgabe beschaffen 2. Vorgehensplan ausarbeiten 3. Terminplan aufstellen (2. und 3.) Termin: 15.4.		
6.3.	2	<u>Besprechung mit Kundenberatungsdienst</u> R. Mariotti, S. Gremminger, D. Vogt Bis 10.4. alle mündlichen und telefonischen Beratungsanfragen stichwortartig notieren und sachgebietsmässig ordnen. Schriftliche Beratungen auf ein Jahr zurück sichten, Beratungsschwerpunkte ermitteln, interessante Beratungsfragen auswählen. Mit dem so gewonnenen Material soll der thematische Aufbau des Ratgeberteils der Jubiläumsschrift erfolgen.	→ 5	
10.3.	3	<u>Besprechung mit Buchbinder Holenstein</u> Der "Technische Ratgeber" soll für den Benützer sowohl vom Inhalt wie vom Format und der Aufmachung her praktisch sein PR, Inhaltsverzeichnis — 12 Seiten Ratgeberteil — <u>100 Seiten</u> Gesamtumfang — 112 Seiten Buchbinder soll dauerhaftes, unempfindliches Einbandmaterial vorschlagen und zudem rechnen, wie teuer 12teiliges Griffregister, ausgestanzt, zu stehen kommt.		
14.3.	4	<u>Besprechung mit Verkaufsleiter Deuchler</u> Hr. Deuchler soll in der nächsten Sitzung mit den Aussendienstmitarbeitern das Projekt "Jubiläumsschrift/Techn. Ratgeber" erläutern und um Anregungen und Vorschläge bitten		
18.3.	5	<u>Präzisierung der Anweisung an Kundenberatungsdienst</u> Die Durchsicht der schriftlichen Beratungen soll nicht eine Auswahl bringen, sondern vor allem zeigen, wo die Beratungsschwerpunkte liegen und womit den Kunden am besten gedient ist.	Pos. 2	
18.3.	6	<u>Buchbinderei Holenstein</u> Liefert bemusterte Vorschläge über geeignetes Einbandmaterial und Angebot für Griffregister ab.	Beilage 1	

grösseren Arbeitsaufwand bedingt oder sich über längere Zeit hinzieht und Aufzeichnungen zur Gedächtnisstütze deshalb als ratsam erscheinen lässt, auf einen Vordruck erfolgt, der in der Folge auch die weiteren Notizen aufnehmen kann. An Stelle von zahlreichen Notizzetteln mit kürzeren oder längeren Angaben und fehlender Übersicht entsteht hiermit ein Arbeitstagebuch, das nicht nur die Arbeit wesentlich erleichtert, sondern auch in einem späteren Zeitpunkt Auskunft darüber zu geben vermag, aus welchen Gründen man zu einer bestimmten Lösung gelangte. Es lohnt sich deshalb, das Leitblatt mit den Unterlagen nach Abschluss der Arbeiten dem Hefter oder Ordner zu entnehmen, entbehrliche Beilagen zu entfernen und die alsdann nur noch in beschränktem Umfang vorhandenen Blätter zusammenzuheften und zu archivieren.
Erfahrene Leitblatt-Praktiker kennen auch eine vereinfachte Benützungsart. Sie verwenden Fortsetzungsblätter mit dem gleichen Vordruck, wie er auf der Leitblattrückseite zu finden ist. Die Eintragungen werden nicht mehr nach Stellen unterteilt, sondern erfolgen chronologisch, wobei jede Eintragung mit dem Tagesdatum und einer Positionsnummer versehen wird. Diese Positionsnummern dienen als Hinweismerkmale, z. B. «vgl. 27», womit die Verbindung zwischen zeitlich und aufzeichnungsmässig auseinanderliegenden Eintragungen hergestellt wird. Sie können aber auch für das Inhaltsverzeichnis verwendet werden, das bei umfangreicheren Leitblättern auf der Rückseite des ersten Blattes angebracht wird.

4.5 Hängemappen

Wer es sich leisten kann, seine Akten und Arbeitsunterlagen durch eine Sekretärin verwalten und in Ordnung halten zu lassen, der hat es in mancher Beziehung sehr einfach. Was er gerade benötigt, lässt er sich von seiner Sekretärin vorlegen und später auch wieder wegräumen. Derjenige jedoch, der über keine solche allgegenwärtige Ordnungskraft verfügt oder die Aufgabe seiner Sekretärin nicht darin sieht, mehr oder weniger häufig mit Akten hin- und herzupendeln, wird sich selber helfen müssen.
Aus verschiedenen Gründen bietet sich dazu die Hängemappe an. Sie ist ein vorzügliches Ordnungsmittel und hilft mit geringstem Aufwand, den Arbeitstisch frei zu halten. Voraussetzung ist dabei allerdings, dass stets einige leere, einsatzbereite Hängemappen in

Griffnähe sind. Sie lassen sich rasch beschriften und durch verschiedenfarbige Sichtreiter entsprechend kennzeichnen. Sie nehmen die Unterlagen ohne die Notwendigkeit des Lochens und Einheftens auf. Und was besonders wichtig und angenehm ist: Sie sind leicht in eine bestehende Unterlagenordnung einzureihen.
Statt Akten tage- oder gar wochenlang von einer Schreibtischecke in die andere zu verschieben, genügt eine Minute Aufwand, um diese Akten geordnet und übersichtlich in einer Hängemappe zu versorgen und diese in der Schreibtischschublade unterzubringen.

4.6 Das persönliche Arbeitsbuch

Je nach Aufgabenbereich werden bestimmte Unterlagen häufiger als andere benötigt. Kommt noch dazu, dass diese Unterlagen nicht nur am eigenen Arbeitsplatz, sondern nahezu ebenso häufig ausserhalb des Arbeitsraumes bei Sitzungen, Besprechungen mit dem Chef, Kunden oder Lieferanten verfügbar sein müssen, erweist sich der Ordner oder Ringhefter als nützlich, weil er ein grösseres Aufnahmevermögen als die Hängemappe hat und zudem der Inhalt durch die Heftmechanik in einer festen Ordnung gehalten wird.
Statt die häufig und nicht nur am Arbeitsplatz benötigten Unterlagen in mehreren Hängemappen aufzubewahren, werden sie übersichtlich in dem persönlichen Arbeitsbuch, wie wir den Ordner oder Ringhefter seiner Aufgabe gemäss bezeichnen wollen, eingeordnet. Dazu verwenden wir Unterteilungskartons mit vorstehender Griffleiste, wie sie in Fünfer- oder Zehnerstaffelung im Handel erhältlich sind. Ganz vorn heften wir einen kleinen Vorrat Notizpapier ein. Das enthebt uns der Notwendigkeit, immer noch einen Notizblock mitzuschleppen oder, weil wir ihn vergessen, im gegebenen Moment nach Papier zu suchen. Anschliessend folgen die meistbenötigten Unterlagen, die wir auf Grund unserer Erfahrung zusammenstellen. Auf der vorstehenden Randleiste der Unterteilungskartons schreiben wir an, was darunter zu finden ist.
Eilen wir zu einer Besprechung, genügt ein Griff nach dem Arbeitsbuch und schon führen wir mit , was wir in der Regel benötigen. Diese Zusammenstellung der wichtigsten Unterlagen erspart uns die Überlegung, welche Papiere, Preislisten, Kataloge, Statistiken und was es immer auch sei, wir mitnehmen müssen. Sie er-

spart uns aber auch das Zusammensuchen der verschiedenen Dokumente, und damit haben wir bereits wieder Zeit gewonnen, die uns für die Besprechung zur Verfügung steht.
Dass wir dieses Arbeitsbuch auch an unserem Arbeitsplatz verwenden können, versteht sich von selbst. Sobald wir uns daran gewöhnt haben, werden wir ganz automatisch danach greifen.

4.7 Die interne Mitteilung

Für den Schriftwechsel ausser Haus verwenden wir Briefbogen, die uns mit ihren vorgedruckten Rubriken zur Vollständigkeit zwingen. Bei internen Mitteilungen nimmt man es meistens bei weitem nicht so genau, obschon sie nicht weniger wichtig sein können. Formulare für hausinterne Meldungen gibt es oft nur in grossen Unternehmungen, während in mittleren und kleinen dazu benützt wird, was gleich vorhanden ist. Weil kein Vordruck an die erwünschte Vollständigkeit erinnert, fehlen oft Datum und Absender, hinreichend genaue Angaben, um was es geht, und was eben sonst noch fehlen kann.
Viele Leute finden den Griff zum Telefon einfacher, als einige Zeilen zu Papier zu bringen. Sie zwingen damit den Empfänger der telefonischen Meldung, das zu tun, was sie selber nicht tun, nämlich schriftlich festzuhalten, um was es geht. Das ist in zweifacher Hinsicht unrationell. Erstens reisst man womöglich den Angerufenen aus einer Besprechung oder zumindest aus seiner Arbeit, und zweitens muss er sich, um es nicht wieder zu vergessen, notieren, um was es geht. Hat er es dabei eilig, fallen seine Notizen kurz aus und zwingen ihn später zu ergänzenden Rückfragen. Damit wird wiederum der Meldungsübermittler gestört, und da er die zusätzlichen Angaben auch nicht mehr im Kopf hat, muss er nachschlagen.
Ein zweckmässiger Vordruck für solche Mitteilungen ist deshalb kein Luxus und kann zur Vereinfachung der Arbeit wesentlich beitragen. Abbildung 6 zeigt, wie ein solcher Vordruck gestaltet werden kann. Links oben befindet sich die Empfängerangabe. Muss die Mitteilung zur Kenntnisnahme bei verschiedenen Mitarbeitern zirkulieren, werden diese in der Laufweg-Rubrik in der entsprechenden Reihenfolge aufgeführt. Damit sind alle Beteiligten auch gleich orientiert, wer von dieser Mitteilung Kenntnis erhält. Im «Betrifft»-

Abbildung 6: Vordruck für interne Mitteilungen

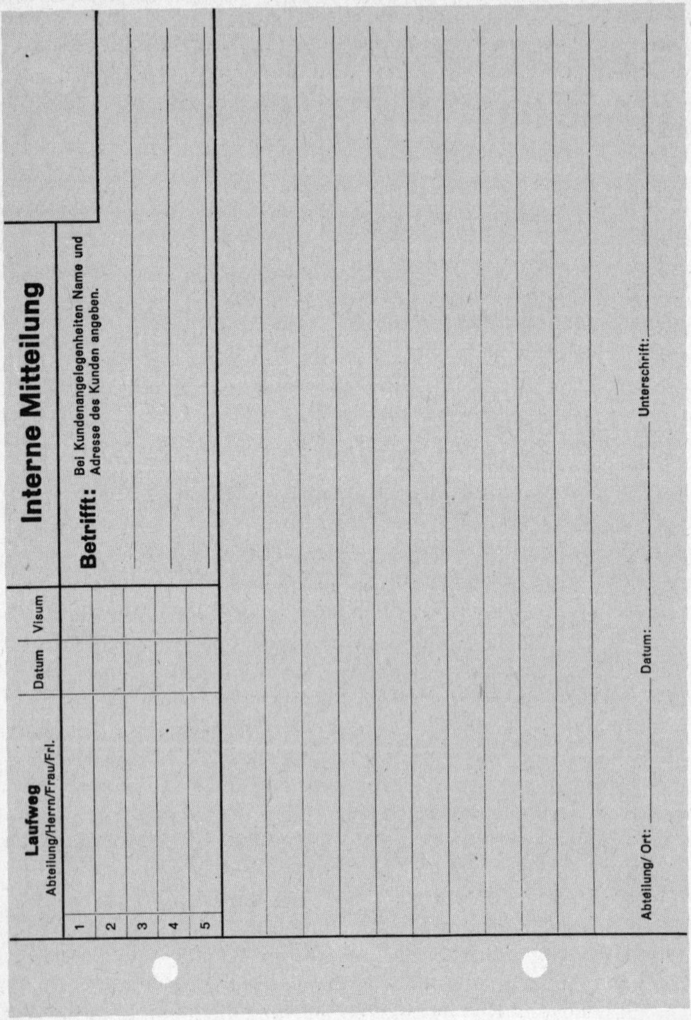

Interne Mitteilung

Betrifft: Bei Kundenangelegenheiten Name und Adresse des Kunden angeben.

Laufweg Abteilung/Herrn/Frau/Frl.	Datum	Visum
1		
2		
3		
4		
5		

Abteilung/ Ort: ______ Datum: ______ Unterschrift: ______

Feld wird entweder die Adresse des Kunden oder des Lieferanten eingesetzt oder die Angelegenheit bezeichnet, um die es geht. Das leere Feld rechts oben dient zur Aufnahme der Kunden- oder Lieferantennummer, sofern vorhanden, oder für andere ergänzende Kennzeichen. Es folgt dann Raum für die Mitteilung. Unten sind Ort oder Abteilung einzusetzen und Datum und Unterschrift anzubringen.

Eine so ausgefüllte Mitteilung enthält die wesentlichsten Angaben, denn der Vordruck erinnert daran, was für den Empfänger wichtig ist und ausgefüllt werden muss. Selbstverständlich soll auch dieses Formular vor allem als Anregung dienen, wie man es machen kann. Auch hier empfiehlt sich die Anpassung an die eigenen Gegebenheiten.

4.8 Telefon-Notizzettel

Telefongespräche müssen oft schriftlich festgehalten werden, weil sie entweder eine Weiterverarbeitung bedingen, wie das beispielsweise bei Kundenbestellungen der Fall ist, oder weil sie als Information zu den entsprechenden Akten gelegt werden müssen. Ein zweckmässig gestaltetes Formular leistet dabei sehr nützliche Dienste, weil die vorgedruckten Texte gewissermassen als Fragen wirken und den Ausfüllenden zur Vollständigkeit zwingen. Nicht alle der im Fachhandel erhältlichen Formulare sind zweckmässig. Einige sind im Format zu klein und dadurch zu rasch vollgeschrieben, was zu einer Fortsetzung auf der Rückseite zwingt. Wie gut man auf einem kleinformatigen losen Zettel schreiben kann, wenn man den Telefonhörer festhalten und zugleich den Notizzettel vor dem Wegrutschen bewahren muss, weiss jedermann zur Genüge. Andere Formulare wiederum sind in der Anordnung des vorgedruckten Textes entweder nicht zweckmässig oder lassen für die einzelnen Eintragungen zu wenig Raum, oder sie weisen einen unvollständigen Text auf und lassen demzufolge oft die eine oder andere Angabe ungefragt.

Abbildung 7 zeigt einen Telefon-Notizzettel im Format DIN A5 hoch, der nicht nur die wesentlichsten Angaben enthält, sondern auch genügend Raum für den auszufüllenden Text lässt. Wichtig ist dabei, dass auch der Name des Anrufenden und nicht nur die Firma eingesetzt wird, damit bei notwendigen Rückfragen gleich die zuständige Person verlangt werden kann.

Abbildung 7: Vordruck für Telefonnotizen

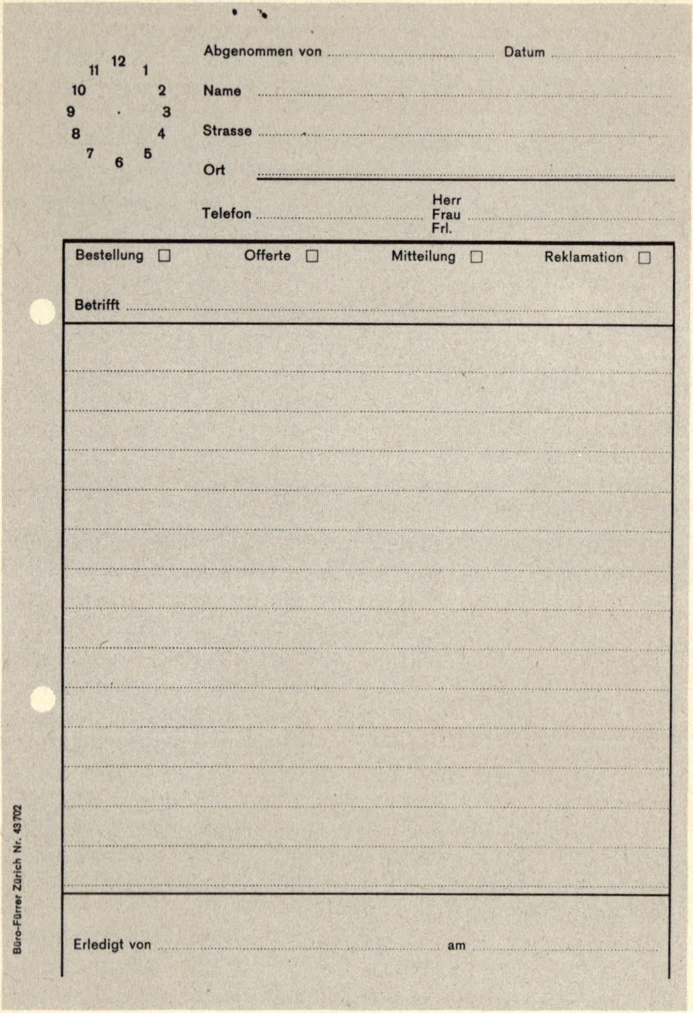

Abgenommen von .... Datum ....

12 1 2 3 4 5 6 7 8 9 10 11

Name ....

Strasse ....

Ort ....

Telefon .... Herr Frau Frl. ....

Bestellung ☐ Offerte ☐ Mitteilung ☐ Reklamation ☐

Betrifft ....

Erledigt von .... am ....

Büro-Fürrer Zürich Nr. 43702

Weil Telefonzettel oft in beträchtlichen Mengen gebraucht werden, besteht bei manchem Büromaterialeinkäufer die Versuchung, mit einem DIN A6-Format Geld zu sparen. Objektiv betrachtet, wird hier am falschen Ort gespart, denn unübersichtliche Notizen und zusammengequetschte Texte bedingen für die Entzifferung einen zeitlichen Mehraufwand. Damit gleicht sich die Rechnung wieder aus.

4.9 Weitere arbeitssparende Vordrucke

Wir können hier nicht alle im Handel erhältlichen Vordrucke vorstellen, die für den Arbeitstechniker von Nutzen sein können, denn je nach Tätigkeitsbereich besteht im einen Fall mehr für dieses und im anderen Fall mehr für jenes Bedarf. Wer seine Augen offen hält, wird jedoch da und dort etwas finden, das für seine Arbeit nützlich ist.
Einige wenige Notizbuchhersteller haben es recht gut verstanden, herauszufinden, was für den auf Rationalisierung seiner Arbeit erpichten Benützer zweckmässig sein kann.
So gibt es beispielsweise zum ORG-RAT-Notizbuch ein Einlageblatt mit der etwas anspruchsvollen Bezeichnung «Universal-Disposition». Es kann wahlweise als Telefon-, Besuchs- und Aktennotiz verwendet werden. Wenig gebraucht dürfte die Rubrik «Arbeits-Disposition» werden, weil erstens ein A6-Format zur Zirkulation im Betrieb doch etwas klein und damit leicht zu verlieren ist und zweitens die zwei schmalen Spalten kaum zur wirklichen Disposition geeignet sind. Dessen ungeachtet bilden wir es hier ab (Abb. 8), denn ihm liegt eine Idee zugrunde, die gut in unsere Arbeitstechniküberlegungen passt.
Der Schöpfer dieses Arbeitsblattes scheint sich gesagt zu haben: «Warum soll ich mir zuerst auf ein blankes Blatt meines Notizbuches Besprechungsnotizen machen, die ich dann später irgendwohin übertragen muss, wenn ich diese Notizen gleich in einen Vordruck eintragen kann, der eine direkte Weiterverarbeitung ermöglicht.»
Der Gedanke ist richtig. Wenn wir auf unserem Schreibtisch einen Zettel liegen haben, der nichts als unsere Handschrift trägt, dann ist nicht auf den ersten Blick zu erkennen, um was es sich dabei handelt. Fällt unser Blick jedoch auf einen Vordruck mit klarer In-

Abbildung 8: Taschenbuch-Vordruck für Gesprächsnotizen

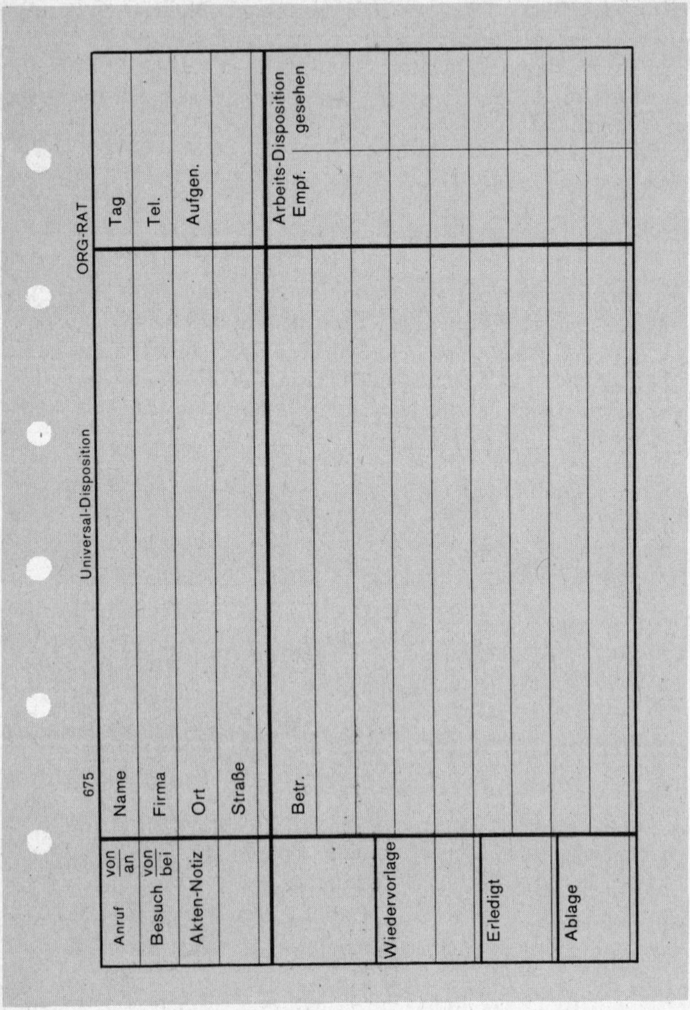
675 Universal-Disposition ORG-RAT

Anruf von/an — Name — Tag

Besuch von/bei — Firma — Tel.

Akten-Notiz — Ort — Aufgen.

Straße

Betr. — Arbeits-Disposition Empf. gesehen

Wiedervorlage

Erledigt

Ablage

haltseinteilung, dann wissen wir sofort, was es damit für eine Bewandtnis hat. Also ist es sinnvoll, die entsprechenden Formulare gleich von Anfang an zu benützen und damit eine spätere Übertragung einzusparen.
Das abgebildete Formularblatt ist nicht ideal. Der breite Rand um den Vordruck ist unnötig und nimmt lediglich Schreibfläche weg, die innerhalb des Rahmens nützlicher wäre. Die Rubrik «Arbeits-Disposition» ist bestimmt entbehrlich. Die Idee als solche jedoch ist brauchbar und damit auch der Vordruck, auch wenn er noch verbesserungswürdig ist.

5 Durch Arbeits- und Zeitplanung rascher ans Ziel

5.1 Weile und eile

In Wien erzählte man sich zu der Zeit, als der Fiaker noch das Stadtbild beherrschte, folgende Begebenheit:
In höchster Eile kommt ein Mann aus einem Haus gestürzt und wirft sich in den nächsten Fiaker. «Fahren Sie los wie der Teufel!» herrscht er ungeduldig den Mann auf dem Kutschbock an. Dieser fasst in die Zügel und lässt seine beiden Rappen mächtig ausgreifen. Nach zwei Kilometern rasender Fahrt dreht er den Kopf und fragt: «Wohin denn eigentlich?»
Diese so bezeichnende kleine Episode fällt mir jeweilen ein, wenn ich jemanden überstürzt eine Arbeit beginnen sehe und mich dabei frage, ob ihm eigentlich klar ist, wohin ihn seine Eile führen soll. «Eile mit Weile» rät ein vielzitiertes Sprichwort, das in seiner Volksmund-Kürze zu wenig aussagt und in Anlehnung an die Fiaker-Geschichte richtigerweise lauten müsste:

Weile,
um denkend den Weg zu erkunden.
Eile,
wenn der Weg zum Ziel gefunden.

Auf zeitraubenden Umwegen einem Ziel zuzustreben, nur weil in der Eile versäumt wurde, den bestgeeigneten Weg ausfindig zu machen, ist wenig sinnvoll. Man schiebt damit die Eile in den Vorder- und das Ziel in den Hintergrund, und so geschieht es nicht selten, dass man sich zwar beeilt, aber trotzdem nicht rascher ans Ziel gelangt. Doch ist es nicht nur die Eile, die viele so handeln lässt, denn auch ohne Eile wird manches begonnen, ohne sich zuvor Gedanken über den besten Weg zum Ziel zu machen.

5.2 Arbeitsplanung und Zeitplanung

In der Praxis steht vor allem der Terminplan im Vordergrund und nicht etwa der Arbeitsplan oder der Zeitplan. Das kommt daher, dass man in seinen Terminkalender fast ausschliesslich nur Besprechungs-, Besuchs-, Sitzungs- und Ablieferungstermine einträgt. Es handelt sich dabei durchwegs um eigentliche Endtermine. An diesem Datum muss etwas abgeliefert werden oder man trifft sich zur Beschlussfassung. Wann mit der Vorbereitung oder der Arbeitsausführung begonnen werden muss, das ist nirgends vermerkt. Wie nachteilig das ist, wird den davon Betroffenen immer dann bewusst, wenn sie unmittelbar vor einem solchen Termin stehen und noch völlig unvorbereitet sind. Man muss dann alles andere zurückstellen und trotzdem noch oft genug in Überzeit- und Nachtarbeit nachholen, was mangels Beginntermin versäumt wurde. Das Eintragen von Terminen in den Terminkalender ist somit weder Arbeits- noch Zeitplanung.
In der industriellen Fertigung macht die sehr weitgehende Arbeitsteilung Arbeits- und Zeitpläne notwendig. Der Arbeits- und Zeitaufwand für die einzelnen Arbeiten ist entweder bekannt oder wird ermittelt. Für jede Abteilung, ja oft sogar für jede grössere Maschine besteht ein Belegungsplan, aus dem ersichtlich ist, wann welche Arbeit begonnen werden muss, wie lange die Abteilung oder Maschine belegt ist und von wann an freie Kapazität verfügbar ist. Gestützt darauf werden für die einzelnen Abteilungen die Arbeiten zeitlich eingeplant, und der Endtermin der letzten Operation gibt den Anhaltspunkt für den Termin der Ablieferung. Bei der Hand- und Maschinenarbeit ist die detaillierte Arbeits- und Zeitplanung seit langem üblich, nicht jedoch im Bereich der Kopfarbeit, obwohl dort Denker am Werk sind, die das Problem eigentlich meistern müssten.
Arbeitsplanung und Zeitplanung sind somit die Voraussetzung für eine wirklichkeitsnahe Terminbestimmung. Mit der Arbeitsplanung wird festgelegt, was in welcher Reihenfolge zur Erreichung des gesetzten Zieles getan werden muss, und die Zeitplanung ermittelt den dafür erforderlichen Zeitaufwand.

5.3 Arbeitsplanung

Man darf ohne jede Übertreibung sagen, dass die Planung eine der komplexesten und schwierigsten Tätigkeiten ist, geht es doch darum, auf der Ebene des Denkens das durchzuspielen, was später auf der Ebene des Handelns geschehen soll. Wer planen und das Planen auch im grösseren Massstab beherrschen will, muss Sinn für Analyse und Synthese haben, denn Planen heisst, die zur Erreichung eines gesetzten Zieles notwendigen Schritte mit allen ihren Konsequenzen zu ermitteln und diese zu einem sinnvollen und rationellen Arbeitsablauf zusammenzufassen.
Ein Minimum an Arbeitsplanung ist auch für diejenigen notwendig, die zwar nicht Planungsfachleute werden wollen, jedoch nach einer Verbesserung ihrer persönlichen Arbeitstechnik streben. Sie benötigen die Arbeitsplanung, um ihre persönliche Tätigkeit optimal zu gestalten.

5.31 Zielsetzung

Ausgangspunkt jeder Arbeitsplanung ist die Zielsetzung, denn durch sie wird bestimmt, was erreicht werden soll oder muss. Weil sich die Arbeits- und damit auch die Zeitplanung auf die Zielsetzung stützt, ist es sehr wesentlich, dass die Ziele richtig gesetzt und klar umschrieben werden. Eine klare Fragestellung kann die richtige Zielbestimmung wesentlich erleichtern.

> Was soll erreicht werden?
> Wie soll es erreicht werden?
> Durch wen soll es erreicht werden?
> Bis wann soll es erreicht werden?
> usw.

Handelt es sich um einfache Ausführungsziele, die lediglich einen Vorgehensplan, jedoch keine eigentlichen Problemlösungen verlangen, ist die Zielbestimmung verhältnismässig einfach. Bedeutend komplizierter wird sie jedoch, wenn Problemlösungen verlangt werden, also nicht einfach bereits bekannte Wege in geordneter Reihenfolge beschritten werden können. Hier ist es notwendig, genau zu erkennen, welches eigentlich das Problem ist, das gelöst werden muss. Das wirkliche Problem richtig zu erkennen, ist oft schwieriger als seine Lösung. Umgekehrt heisst das, dass ein richtig erkanntes Problem auch bereits Ansätze zu seiner Lösung, also Wegweiser zum Ziel enthält. Bei Problemlösungen dient die Zielsetzung oft lediglich als Richtlinie für die Beschaffung weiterer Informationen, und erst nach deren Vorliegen wird das Ziel definitiv bestimmt und genau umschrieben.

5.32 Ergänzung der Informationen

Ist das Ziel gesetzt, geht es darum, sich die erforderlichen Informationen für das weitere Vorgehen zu beschaffen. Das ist eine sehr wichtige Phase, die von nicht gezielt Vorgehenden häufig und zu ihrem eigenen Nachteil übersprungen wird. Richtigerweise müsste man nämlich die «Zielbezeichnung» als vorläufige oder «erste Zielbezeichnung» auffassen, die vor allem dazu dient, aufzuzeigen, in welcher Richtung und in welchem Umfang die bereits vorhandenen Informationen zu ergänzen sind.
Wird dieser Phase zu wenig Aufmerksamkeit geschenkt, so wird damit ungewollt auf die Auswertung bereits vorhandener Informationen verzichtet. Entweder werden diese beim weiteren Vorgehen nicht berücksichtigt und die Lösung des Problems fällt dann auch entsprechend aus, oder sie müssen nachträglich beschafft werden, was einen Umweg und eine Verzögerung bedeutet.
Das deutsche Forschungsschiff «Valdivia» brachte 1898/99 von einer ausgedehnten Forschungsreise einen kleinen Tintenfisch zurück, den es aus einer Tiefe von etwa 1000 Metern des tropischen Atlantiks heraufgeholt hatte. Dieser achtarmige und rund drei Zentimeter lange Tintenfisch war zuvor nicht bekannt. Im Laufe der folgenden Jahrzehnte brachten französische, amerikanische, englische und dänische Forscher weitere Exemplare aus der Tiefe des Meeres in das Licht der Wissenschaft. Schliesslich waren sechs Gattungen mit etwa elf Arten dieses lebenden Fossils bekannt, das Zeuge einer Tierwelt war, die vor etwa 170 Millionen Jahre gelebt hatte. Schwierigkeiten bot die Einordnung dieser Funde, die insbesondere durch die Expeditionen der «Dana» in den zwanziger Jahren sehr bereichert wurden. Um die vielen schwebenden Fragen zu klären, beauftragten die dänischen Wissenschafter die amerikanische Biologin Dr. Grace Pickford mit der wissenschaftlichen Auswertung der Funde.

«Miss Pickford hat gezeigt,» berichtete Professor Adolf Portmann wörtlich, *«was Beharrlichkeit und moderne Methoden der Arbeit ergeben, wenn sie mit Geist angewendet werden.* Dr. Pickford ist nicht etwa mit neuen Geräten in unerhörte Tiefen vorgedrungen – sie hat etwas ganz Unsensationelles gemacht: Da war ein beträchtliches Material von diesen Tiefseearten, und sie musste es einordnen. Die Schwierigkeiten und Unstimmigkeiten, die sich ergaben, suchte sie zu überwinden, indem sie all den verstreuten Funden der schwärzlichen Tiefsee-Tintenfische nachreiste – eine unsentimentale Reise in viele Museen. In Paris, Monaco und anderswo hat sie alle die seltenen Funde sorgfältig studiert, besonders auch genau ausgemessen. In hingebender Arbeit hat sich in ihr in der Stille eine ganz neue Auffassung von diesen kleinen Achtfüsslern geformt. Eine Hypothese ist aufgegangen, die allmählich zur Gewissheit wurde, und deren Folgen unser Bild von der Gruppe der Tintenfische sehr tief umwandeln werden.»
Dieses Beispiel wurde hier zitiert, weil es auf überzeugende Weise zeigt, dass sogar zu keineswegs alltäglichen Problemstellungen meistens mehr Informationen vorhanden sind, als man anzunehmen gewillt ist. Diese Quellen auszuschöpfen, bedeutet nicht nur eine Arbeitserleichterung, sondern auch eine bessere Problemlösung.

5.33 Präzisierung der Zielsetzung

Durch das Beschaffen und Auswerten der vorhandenen und erreichbaren Informationen zeigt sich das ursprüngliche Problem oft in ganz neuem Licht. Die häufig übliche Einengung der Betrachtungsweise wird dadurch erweitert, und nicht selten ergeben sich dabei neue Alternativen, die zu einer Präzisierung der ursprünglichen Zielsetzung führen müssen.
Wir sagten bereits, das Erkennen des wirklichen Problems sei schwieriger als seine Lösung. So unglaublich es im ersten Moment auch klingen mag, so trifft diese Feststellung dennoch zu, und zwar aus folgendem Grund: Wird das Problem nicht in seinem Kern erfasst, sondern nur in seinen Auswirkungen, dann strebt die Zielsetzung vor allem eine Veränderung der Auswirkungen und nicht der Ursachen an, und die Lösung wird denn auch in dieser Richtung gesucht. Auch hier soll ein Beispiel aus der Praxis verdeutlichen, wie wesentlich die richtige Zielsetzung ist.

Eine amerikanische Pralinenfabrik stellte eine Pralinensorte her, die mit einem halben Baumnusskern garniert war. Das Aufknacken der Baumnüsse brachte aus verständlichen Gründen einen ausserordentlich hohen Ausschuss, weil dabei nur allzu leicht der Kern beschädigt wurde. Den Fachleuten wurde nun die Aufgabe gestellt, eine Methode des Aufknackens zu finden, die den Inhalt nicht mehr beschädigte. Als die verschiedenen Versuche zu keinem brauchbaren Ergebnis führten, weil entweder der Aufwand zu hoch oder der Ausschuss immer noch zu gross war, wurde ein freiberuflicher Problemlöser beigezogen, der die Aufgabe studierte und dann die Zielsetzung änderte, weil er das Aufknacken als Problemeinengung erkannte. Die Zielsetzung hiess nun nicht mehr «Baumnüsse aufknacken, ohne den Kern zu beschädigen», sondern «Wie lässt sich der Kern einer Baumnuss ohne Schaden zu nehmen von der Schale befreien?» War für die erste Zielsetzung der Gedanke wegleitend, man müsse durch die Schale zum Kern vordringen, drehte die zweite Zielsetzung das Problem um: Wie gelangt der Kern unbeschädigt aus der Schale?
Durch diese Verschiebung der Betrachtungsweise wurde nun auch die Lösung gefunden, und zwar in Form einer sehr einfachen Apparatur. Aus einem Vorratsbehälter rollte in kleinen Abständen eine Nuss zwischen zwei endlos umlaufende Gummibänder, die sie festklemmten und über einen kleinen Fräser führten, der einen Schlitz in die Schale fräste. Eine Düse blies eine kleine Gasmenge durch den Schlitz, und die Nuss wurde weiter über einen Kontakt geführt, der einen Funken auslöste, das Gas zur Explosion brachte und die Schale wegsprengte. Hier kann man wirklich sagen, dass die Lösung den Kern der Sache traf.

5.34 Planung der Arbeit

Nach Vorliegen der präzisierten Zielsetzung geht es darum, die zur Erreichung des Zieles notwendigen Arbeiten zu ermitteln. Das bedingt, dass sämtliche Arbeitsschritte vom Ausgangspunkt bis zum Ziel festgelegt werden.
Für Arbeiten, bei denen alle Schritte bereits bekannt sind, ist die Planung verhältnismässig einfach, geht es doch vor allem darum, alle Arbeitsschritte vollständig zu erfassen und in die richtige Reihenfolge zu bringen. Dazu verwendet man vorteilhafterweise ein DIN-A4-Blatt, das man mit einigen Bleistift- oder besser noch Tin-

tenstrichen – wegen des Radierens! – so einteilt, wie es aus der Abbildung 9 hervorgeht.
Dabei geht man am besten so vor, dass man sich auf die erste Spalte konzentriert und dort mit genügendem Abstand von Eintragung zu Eintragung die Hauptarbeiten vormerkt. Anschliessend werden diese in der zweiten Spalte in die erforderlichen Einzelheiten untergliedert. Ergibt sich dabei die Notwendigkeit einer weiteren Verfeinerung, steht dazu die dritte Spalte zur Verfügung.
In der vierten Spalte werden die zu benützenden Hilfsmittel aufgeführt und in der fünften Spalte die Personen bezeichnet, welche die einzelnen Leistungen zu erbringen haben. In der sechsten Spalte wird der geschätzte Zeitaufwand für die einzelnen Arbeiten vermerkt, und in die letzte Spalte kommen schliesslich die Termine für die einzelnen Arbeiten zu stehen.
Es empfiehlt sich, die Eintragungen mit Bleistift vorzunehmen. Die Grobplanung in der ersten Spalte bietet in der Regel keine besonderen Schwierigkeiten, doch bei der Feinplanung in der zweiten und dritten Spalte merkt man recht bald, dass man in späteren Etappen auf Arbeiten angewiesen ist, die in früheren Etappen geleistet werden müssen, aber – weil sie uns in dieser Phase noch nicht einfielen – dort nicht vermerkt sind. Also müssen sie nachträglich noch eingesetzt werden, und da ist es nützlich, den Radiergummi verwenden zu können. Wer mit Tinte oder Kugelschreiber plant, muss durchstreichen und darüberschreiben, und das macht einen Plan sehr rasch unübersichtlich.
Umfangreichere Arbeitspläne gelingen selten auf einen Zug. Die Erfahrung zeigt, dass mit dem Fortschreiten des Planes so viele Einzelheiten auftauchen, dass der insbesondere in den Spalten zwei und drei dafür vorgesehene Raum nicht ausreicht. Entweder beginnt man dann neu und luftiger oder man schneidet das Blatt auseinander und fügt ein Stück dazwischen. Niemand soll sich darüber ärgern, dass er einen Plan mehrmals ändern muss, denn dazu hat er wahrlich keinen Grund. Hätte er nämlich die Arbeit ohne Plan begonnen, dann hätte er die gleichen Fehler, die ihn jetzt möglicherweise auf dem Plan ärgern, in der Ausführung begangen, und das wäre weitaus zeitraubender und kostspieliger geworden. Durch die Planung, durch die gedankliche Vorwegnahme der Ausführung, kann auf dem Papier genau festgehalten werden, was bei der nachfolgenden Ausführung auf welche Art und Weise durch welche Person und bis zu welchem Termin in welcher Reihenfolge zu geschehen hat.

Abbildung 9: Arbeits-Planungsblatt

Ziel:

Hauptarbeiten	Teilarbeiten	Einzelheiten	Hilfsmittel	Ausführende	Zeitaufwand	Termin

Wer noch nie mit einem solchen Arbeitsplan gearbeitet hat, wird sich nach Vorliegen seines ersten Planes darüber wundern, wieviele Einzelheiten es immer wieder zu berücksichtigen gilt, und er wird nicht mehr darüber erstaunt sein, dass ohne Arbeitsplan manches nicht in der richtigen Reihenfolge geschieht und einiges vergessen bleibt.
Gründliches Planen fordert Zeit. Diese Zeit jedoch wird bei der Ausführung mehrfach eingespart, weil zielgerichtet vorgegangen werden kann und Leerläufe unterbleiben. Wer für das Planen keine Zeit zu haben glaubt, verhält sich wie der Fiaker-Gast. Er rast zwar sogleich los, doch womöglich in die falsche Richtung. Wer sich jedoch den Spruch, über den Sie einige Seiten zuvor vielleicht nur hinweggelesen haben und den wir deshalb hier nochmals wiederholen,

Weile,
um denkend den Weg zu erkunden.
Eile,
wenn der Weg zum Ziel gefunden.

zum Leitmotiv seines Handelns macht, der wird sich niemals mehr kopflos in eine Arbeit stürzen und dafür rascher und besser an sein Ziel gelangen.

5.35 Entscheidungshilfen

Wer plant, wird sehr bald unserer Auffassung beistimmen, dass das Planen eine sehr komplexe und schwierige Tätigkeit ist, weil es dazu zwingt, Verzweigungen im Vorgehen, Schwierigkeiten und Möglichkeiten vorauszusehen, bevor sie eingetreten sind und zu einer Unterbrechung der Tätigkeit zwingen, bis man sich überlegt hat, was jetzt zu geschehen hat.
Bei der Planung wird das Entscheiden über verschiedene Ausführungsmöglichkeiten vorweg genommen. Für den Planenden bedeutet es deshalb eine grosse Hilfe, wenn er bei dieser oder jener Frage in seine «Wissenskartei» greifen und frühere Erfahrungen oder Überlegungen beiziehen kann.
Nicht immer hilft uns der Griff in unsere so nützliche Kartei weiter. Wo wir vor neuen Problemen und neuen Entscheidungen stehen, müssen wir auch neu überdenken, wie wir handeln sollen und zu

Abbildung 10: Fragebogen als Entscheidungshilfe

Entscheidung:							
Variante:				Variante:			
Positiv / Vorteile	Negativ / Nachteile	+	-	Positiv / Vorteile	Negativ / Nachteile	+	-
Was spricht dafür?	Was spricht dagegen?			Was spricht dafür?	Was spricht dagegen?		
Was ist daran positiv?	Was ist daran negativ?			Was ist daran positiv?	Was ist daran negativ?		
Arbeitsnutzen?	Arbeitsaufwand?			Arbeitsnutzen?	Arbeitsaufwand?		
Finanz. Ertrag/Einsparung?	Finanzieller Aufwand?			Finanz. Ertrag/Einsparung?	Finanzieller Aufwand?		
Spätere positive Folgen?	Spätere negative Folgen?			Spätere positive Folgen?	Spätere negative Folgen?		

was wir uns entscheiden wollen. Oft geht es darum, die Vor- und Nachteile einer Lösung zu ermitteln oder die Vor- und Nachteile von zwei Möglichkeiten gegeneinander abzuwägen. Was ist daran vorteilhaft, was nachteilig? Aufwand und Ertrag können oft nicht allein ausschlaggebend sein, denn daneben gibt es auch andere Faktoren, die ins Gewicht fallen können. Als Entscheidungshilfe kann uns dabei ein Fragebogen nützlich sein, wie er in Abbildung 10 dargestellt ist. Die darin enthaltenen Fragen zwingen uns, nach positiven und negativen Gesichtspunkten zu forschen. Indem wir sie aufschreiben, haben wir sie vollständig vor Augen und können sie gegebenenfalls sogar mit Punkten gewichten, weil ja nicht alle Argumente gleichbedeutend sind. Addieren wir die Plus- und die Minus-Spalte, dann zeigt sich rasch, was überwiegt.
Selbstverständlich sind die in dieser Entscheidungshilfe aufgeführten Fragen nicht verbindlich und auch nicht vollständig, sondern lediglich beispielhaft. Obschon sie in vielen Fällen als Gesichtspunkt durchaus mitspielen, sind sie von Fall zu Fall entsprechend anzupassen.

5.4 Planmässiges Vorgehen bei der Arbeitsausführung

Zum planmässigen Vorgehen ist nicht mehr viel zu sagen. Der Plan liegt vor und damit ist auch das Vorgehen klar. Natürlich kann es da und dort trotzdem noch Fragen geben, und es kann auch vorkommen, dass sich bei der Ausführung aus technischen oder praktischen Gründen eine Änderung aufdrängt. Den Planern wird oft vorgeworfen, sie würden sich stur und unbeweglich an ihren Plan klammern. Der Vorwurf dürfte vor allem von Planungsgegnern zu hören sein, weil sie ein Alibi brauchen. Gerade durch den bis in die Einzelheiten vorliegenden Arbeitsplan ist die Möglichkeit zur Flexibilität gegeben, weil überblickt werden kann, welche Konsequenzen Änderungen in späteren Arbeitsphasen haben können und was demzufolge vorgekehrt werden muss.
«Eile, wenn der Weg gefunden» heisst die Forderung in unserem Merkspruch, und ihr soll bei der Ausführung nachgekommen werden, indem folgendes beachtet wird. Arbeiten, die ohne Unterbrechung durchgeführt werden können, sind am schnellsten beendet. Unterbrechungsursachen sind – ausser Telefonanrufe und Besu-

cher – nicht selten die ungenügende Arbeitsvorbereitung oder plötzliche Einfälle, die unsere Gedanken von der Arbeit abzulenken drohen.
Es lohnt sich, vor Beginn der Arbeit kurz zu überlegen, was wir dazu benötigen und das Notwendige gleich bereit zu legen. Dadurch lässt sich verhindern, dass wir während unserer Arbeit zwei-, drei- oder viermal nach Dingen laufen müssen, ohne die wir die Arbeit nicht fortsetzen können. Ungenügende Vorbereitung muss oft nicht nur mit der Zeit der effektiven Unterbrechung, sondern auch noch mit der Zeit, die für das erneute Hineindenken in die Arbeit benötigt wird, bezahlt werden.
Zahlreiche Leute lassen sich von plötzlichen Einfällen immer wieder zu anderem Tun hinreissen. Man erinnert sich daran, dass man bei der Firma X einen Preis erfragen, aus der Geschäftsbibliothek ein Buch verlangen oder Theaterkarten bestellen wollte, und damit man es nicht wieder erneut vergisst, wird es nun gleich getan. Es ist ja nur eine unbedeutende Unterbrechung, tröstet sich dabei mancher, und anderen fällt vor lauter kleinen Unterbrechungen schon gar nicht mehr auf, wie unwirtschaftlich sie arbeiten. Gerade die kleinen Dinge halten uns oft davon ab, die grossen Arbeiten kompakt durchzuführen. Eine kurze Notiz sorgt dafür, dass wir auch später noch an diese Kleinigkeiten denken, ohne jetzt dafür die Arbeit unterbrechen zu müssen.
Oft lassen wir uns von diesen kleinen Dingen gern unterbrechen, weil wir gerade Mühe haben, einen Gedanken richtig formuliert zu Papier zu bringen oder eine Überlegung konsequent zu Ende zu denken. Eine kleine Unterbrechung kommt uns somit recht gelegen, und nicht selten trösten und betrügen wir uns damit, die Arbeit würde uns später leichter fallen. Schwer fällt sie uns meistens dann, wenn wir gerade im Begriff sind, die letzte Steigung oder das letzte Hindernis zu überwinden. Wenn wir jetzt aussetzen, benötigen wir später für diese letzte Runde entsprechend mehr Zeit, denn wir müssen uns erneut hineindenken.

5.5 Zeitplanung

Wir können von unserer Zeit nicht mehr ausgeben als wir selber besitzen. Deshalb heisst es damit sparsam umgehen. Sind wir einmal knapp an Bargeld, dann lässt sich mit unserer Bank über einen kleineren oder grösseren Überbrückungskredit zu entsprechendem Zins reden. Zeitbanken jedoch, die uns aus der Klemme helfen, wenn wir in arge Zeitnot geraten sind, gibt es nirgends. Durch Überzeitarbeit, ja selbst durch Verzicht auf einen Teil unserer wohlverdienten Nachtruhe, müssen wir wieder hereinzuholen trachten, was wir von unserer Zeit zu viel ausgegeben haben. Deshalb lohnt es sich wahrlich, der Zeitplanung die nötige Aufmerksamkeit zu schenken.

5.51 Benötigten Zeitaufwand schätzen

Für viele am Schreibtisch Tätige ist die Zeit das grösste Problem. Der chronische Zeitmangel rührt zwar häufig von einer unrationellen Arbeitsweise her, doch ist dies nicht die alleinige Ursache, denn sonst hätten alle flinken Kopfarbeiter stets genügend Zeit. Gerade das ist jedoch nicht der Fall, weil häufig gerade sie im Vertrauen auf ihre grosse Leistungsfähigkeit sich nur allzu oft mehr zumuten, als sie dann wirklich im Rahmen der üblichen Arbeitszeit bewältigen können. Woher rührt das?
Zwei Dinge sind daran massgeblich schuld. Man weiss zwar auf Grund von Arbeitsstudien im Büro, dass man für die Entnahme eines Ordners aus dem Regal 3,5 Sekunden benötigt, dass es weitere 28 Sekunden dauert, bis die entsprechende Stelle im Ordner gefunden und das neue Aktenstück eingelegt ist, und dass schliesslich nochmals 3,5 Sekunden für das Zurückstellen des Ordners gebraucht werden. Das macht zusammen 35,0 Sekunden, zuzüglich 33 % Verlustzeit ergibt eine durchschnittliche Gesamtzeit von 47 Sekunden. Mit anderen Worten: Über die Routinearbeiten im Büro weiss man in zeitlicher Hinsicht genau Bescheid, nicht jedoch über diejenigen Arbeiten, die einen kleineren oder grösseren Anteil geistig-schöpferische Tätigkeit beanspruchen. Hier dominiert das individuelle Leistungsvermögen zu sehr, um allgemeingültige Kennzahlen zu finden. Das Erstaunliche ist eigentlich, dass sich nur die wenigsten Kopfarbeiter die Mühe genommen haben, einige Kennzahlen über das eigene Leistungsvermögen zu ermitteln, um einen einigermassen brauchbaren Ansatz für Aufwandschätzungen zur Verfügung zu haben.
Das zweite Problem liegt darin, dass man zwar Arbeiten und Termine entgegennimmt, jedoch auf eine Aufwandschätzung verzichtet und schon gar keine Auslastungsplanung betreibt. Über den

eigenen Auslastungsgrad weiss man somit nicht Bescheid. Interessant ist auch, dass es zu verschiedenen im Handel erhältlichen Taschenkalendern alle möglichen Zusatzblätter gibt, jedoch keines, das eine Auslastungsplanung gestatten würde. Es müsste so aussehen, wie in Abbildung 11 dargestellt. Machen Sie damit doch gleich einmal einen praktischen Versuch, indem Sie das Formular fotokopieren und in die Kopie den Arbeitsaufwand für die nächsten Tage eintragen. Falls Sie zu den Fleissigen gehören, die immer mehr annehmen als sie im Rahmen der normalen Arbeitszeit bewältigen können, dann erschrecken Sie nicht über das Ergebnis Ihres Versuches. Vermutlich wird Ihnen dabei klar werden, warum Sie dauernd in Zeitnot sind.
Grundlage für eine zuverlässige Zeitplanung – nicht zu verwechseln mit der Terminfestsetzung – muss die Arbeitsplanung sein, denn sie sagt uns, wie gross der Zeitaufwand für die einzelnen Arbeiten schätzungsweise sein wird. Verteilen wir diesen Aufwand entsprechend der noch freien Kapazität in unsere Auslastungsplanung, dann zeigt sich, wann wir mit der Arbeit fertig sein können. Danach müsste sich auch der Ablieferungstermin richten. Da jedoch das übliche Vorgehen darin besteht, zuerst den Termin festzusetzen und dann zu versuchen, ihn einzuhalten, entstehen die bekannten Zeitprobleme mit all ihren Nachteilen.

5.52 Wochenplan und Tagesplan

«Eilen hilft nicht,» sagt LaFontaine in seinen Fabeln, «zur rechten Zeit fortgehen, das ist es!» Ein weiser Ratschlag, überzeugend in seiner Einfachheit und Klarheit. Wir wissen, dass es so ist, und verstossen trotzdem allzu häufig gegen diese Erkenntnis, weil uns immer wieder Arbeiten oder Besprechungen länger als erhofft beanspruchen und uns dauernd Dinge dazwischen kommen, mit denen wir nicht gerechnet haben.
«Gerade, weil es so ist, hat die ganze Planerei keinen Wert. Was nützt es, schöne Tagespläne aufzustellen, wenn sie bereits eine Stunde nach Arbeitsbeginn nicht mehr stimmen?» So ungefähr lauten die Argumente der Nichtplaner, und wenn sie zufällig noch in der Literatur bewandert sind, zitieren sie auch noch Brecht: «Ja, mach nur einen Plan, sei nur ein grosses Licht! Und mach dann noch 'nen zweiten Plan, gehn tun sie beide nicht!»

Abbildung 11: Formular «Auslastungsplanung»

Datum / Arbeiten	M	D	M	D	F	S	=
Tagestotal							

Wer sich als Vertreter sechs Besuche im Tag zum Ziel gesetzt hat, der wird es mit grösster Wahrscheinlichkeit fertigbringen, seinen Tagesplan einzuhalten, denn von seiner Pünktlichkeit hängt es ab, ob es ihm gelingt, sein Wochenprogramm durchzuführen oder nicht. Er hat allerdings den Vorteil auf seiner Seite, dass ihm kaum andere Dinge dazwischen kommen können. Wer jedoch seine Tage hinter dem Schreibtisch im Büro verbringt, der muss mit unvorhergesehenen Ereignissen rechnen. Unangemeldete Besucher, die es leider immer noch in zu grosser Zahl gibt und die ohne Rücksicht auf den Zeitplan des Besuchten erscheinen, mehrere längere Telefongespräche oder plötzlich dringlich gewordene Arbeiten sind durchaus geeignet, den schönsten Tagesplan durcheinander zu bringen.
Wenn so etwas ausnahmsweise geschieht, ist es zwar nicht gerade erfreulich, aber auch nicht von besonderer Tragik. Fällt jedoch mit grösster Regelmässigkeit jeder Tagesplan um, dann stimmt tatsächlich etwas nicht. Daraus jedoch zu folgern, jede Zeitplanung sei unnütz, wäre falsch. Viel eher drängt sich der Schluss auf, dass die Art der Planung nicht den individuellen Gegebenheiten entspricht. Wer täglich mit Unvorhergesehenem rechnen muss, der muss auch in seiner Zeitplanung damit rechnen. Das gelingt ihm jedoch nur, wenn er sich nicht mehr, wie das allgemein üblich ist, an die Tageszeitplanung klammert, sondern auf die Zeitaufwandplanung umstellt. Wie das geschieht, soll gleich erklärt werden, doch zuvor müssen wir zum besseren Verständnis noch etwas anderes behandeln.
Wer seinen Arbeitstag wirklich planen will, braucht dafür in seinem Taschenkalender für jeden Arbeitstag eine volle Seite, denn mit weniger geht es leider nicht. Das bedingt 364 Seiten oder 182 Blätter für das ganze Jahr. Für einen Taschenkalender gibt das einen recht beträchtlichen Umfang. Deshalb verzichten viele darauf und damit auch gleich auf die tägliche Feinplanung. Sie legen sich einen dünneren Kalender zu und beschränken sich auf wenige Zeilen je Tag, und auf diesem geringen Raum lässt sich begreiflicherweise kaum Zeitplanung betreiben.
Dabei ist das Problem keineswegs unlösbar. Es lässt sich sogar recht einfach lösen, wenn als Taschenkalender ein dünnes Ringbuch mit Einlegeblättern im Format DIN A6 gewählt wird, wie sie in verschiedenen Ausführungen im Fachhandel zu finden sind. Als Jahreskalendarium ist eines mit 52 Blättern zu wählen, bei dem die sieben Wochentage auf einer Doppelseite Platz finden. Bei dem

empfohlenen Format ergibt das für jeden Tag, ausgenommen den Sonntag, ein Feld von acht Zeilen und reicht für unsere festen Abmachungen aus.
Als Ergänzung dazu fügen wir in das gleiche Taschenringbuch, abgetrennt durch eine Kartonzwischenlage mit Griffleiste, unsere Tagesplanblätter ein, die links eine Spalte für die Tageszeit und rechts eine solche für den geschätzten Zeitaufwand haben sollen. Damit arbeiten wir nun wie folgt.
Die Feinplanung für den folgenden Tag nehmen wir gegen Arbeitsschluss des Vortages vor, weil wir dann wissen, was unerledigt blieb und vorgetragen werden muss. Zuvor jedoch schlagen wir im Jahreskalendarium nach, was wir an festen Abmachungen auf den folgenden Tag bereits getroffen haben. Diese Abmachungen übertragen wir nun auf das Tagesplanblatt, und zwar so über das Blatt verteilt, dass die Verteilung ungefähr den vorgemerkten Tageszeiten entspricht. Das erlaubt uns, während des Tages zusätzlich vereinbarte Besprechungen dazwischen zu setzen. Die Tageszeit tragen wir in die linke Spalte ein, die geschätzte Dauer des Besuches oder der Besprechung in ganzen oder halben Stunden in die rechte Spalte. In kleineren Zeiteinheiten zu planen, ist bei einem sehr bewegten Tagesbetrieb meist illusorisch. Nach Eintragung der festen Daten und des damit verbundenen Zeitaufwandes lässt sich leicht feststellen, wieviel Arbeitszeit noch frei verfügbar ist. Nun wird auf morgen vorgetragen, was heute nicht erledigt werden konnte. Da diese Arbeiten nicht an eine feste Tageszeit gebunden sind, werden sie zwischen die Fixzeiten eingeschoben und lediglich mit dem mutmasslichen Zeitaufwand vorgemerkt. Mit einem einzigen Blick auf diese Spalte sind wir im Bild, was noch eingeplant werden darf und was nicht.
Falls die erste Morgenstunde regelmässig für das Sichten der Post, Mitarbeiterbesprechungen und anderes mehr benötigt wird, erübrigt sich der Eintrag «Post, Mitarbeiter usw.». Wichtig ist, dass die dazu benötigte Stunde in der Aufwandsrechnung vorgemerkt wird. Wenn wir zudem aus Erfahrung wissen, dass täglich mindestens eine Stunde mit nicht angemeldeten Kurzbesuchen, Telefongesprächen und anderem verbraucht wird, dann darf der Tag nur mit sieben Stunden belegt werden. Erledigtes wird gleich gestrichen.
Die Abbildungen 12 und 13 zeigen ein Wochen- und ein Tagesplanblatt. Bereits nach zwei Tagen Arbeit mit diesem Zeitplanungssystem beginnt sich der Sinn für den benötigten Zeitauf-

Abbildung 12: Wochenplan-Blatt, DIN A6

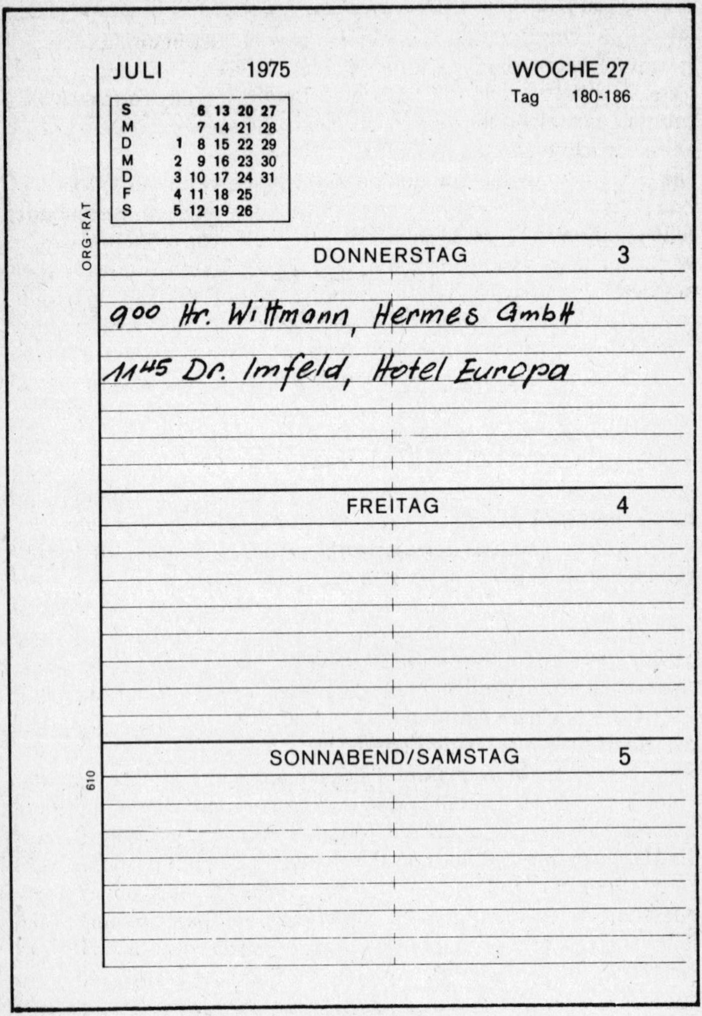

JULI 1975

WOCHE 27

Tag 180-186

S		6	13	20	27
M		7	14	21	28
D	1	8	15	22	29
M	2	9	16	23	30
D	3	10	17	24	31
F	4	11	18	25	
S	5	12	19	26	

ORG-RAT

DONNERSTAG 3

900 Hr. Wittmann, Hermes GmbH

1145 Dr. Imfeld, Hotel Europa

FREITAG 4

SONNABEND/SAMSTAG 5

610

Abbildung 13: Tagesplan-Blatt, DIN A6

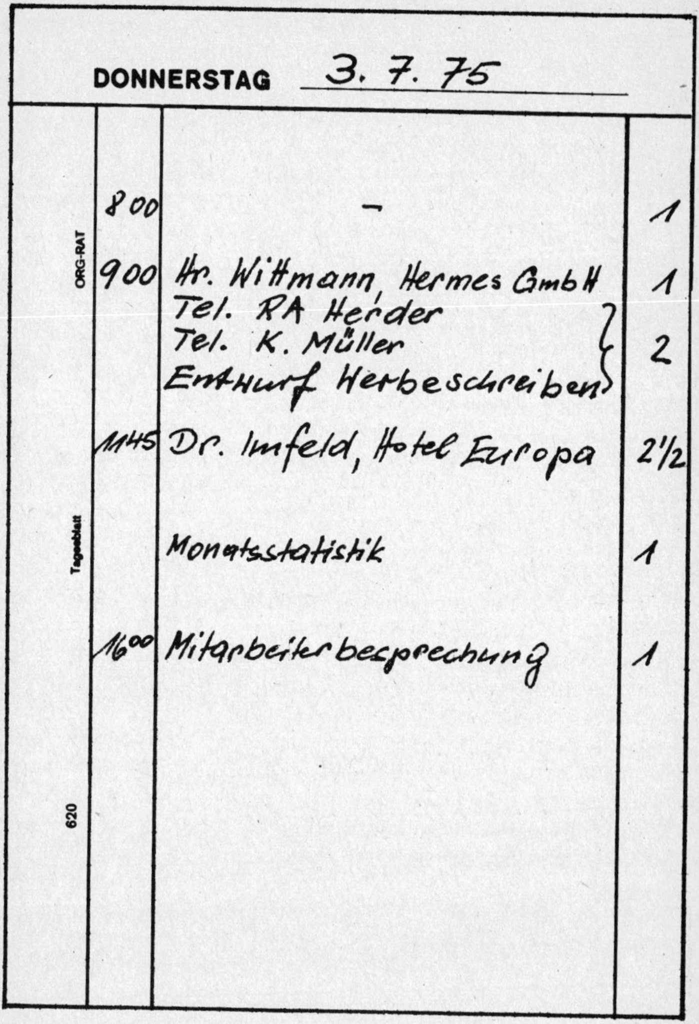

ORG-RAT Tagesblatt 620

DONNERSTAG 3. 7. 75

8^{00}	–	1
9^{00}	Hr. Wittmann, Hermes GmbH	1
	Tel. RA Herder Tel. K. Müller Entwurf Werbeschreiben	2
11^{45}	Dr. Imfeld, Hotel Europa	2½
	Monatsstatistik	1
16^{00}	Mitarbeiterbesprechung	1

wand zu schärfen, denn die tägliche Auslastung zwingt uns stets neu zu überdenken, welche Arbeit wir wo unterbringen können. Noch nicht eingeplante Arbeiten merken wir auf einem separaten Blatt vor, das wir im dritten Teil unseres Kalenders führen. (Abb. 14).

In der linken Spalte merken wir die Dringlichkeit vor oder setzen gegebene Termine ein, und in die rechte Spalte kommt, wie bereits gewohnt, der geschätzte Zeitaufwand. Was in die Planung übernommen wird, streichen wir durch. Erschrecken Sie nicht, wenn Sie bereits auf dem Vormerkblatt zu Beginn eines Monats feststellen, dass der vorhandene Arbeitsvorrat auch ohne Neuzugänge und ohne Berücksichtigung der im Wochenkalender vorgemerkten Besprechungen Ihre Monatskapazität übersteigt. Daran ist nicht das Zeitplanungssystem schuld. Es macht nur sichtbar, was Sie bisher nicht überblickbar mit sich schleppten.

Wer bisher mit einem kleinen Taschenkalender im Format DIN A7 schlecht und recht auskam, weil er darin nur die festen Abmachungen vermerkte, wird im ersten Moment vor der hier angeregten Zeitplanung zurückschrecken. Dafür besteht nicht der geringste Grund, denn bereits nach wenigen Tagen werden Sie feststellen, dass der Mehraufwand für die umfangreicheren Eintragungen durch den dabei erzielten Zeitgewinn mehr als aufgewogen wird. Gerade derjenige, der in einem hektischen Betrieb steckt, kann unmöglich auf eine flexible Tagesplanung verzichten, wenn er vermeiden will, dass früher erhaltene Aufgaben unter den ständig neu anfallenden Arbeiten untergehen und erst begonnen werden, wenn der Termin überschritten ist und die Mahnungen und Reklamationen ihn daran unangenehm erinnern.

Noch ein Wort zum vorgeschlagenen Format des Taschenkalenders: Wer planen will, kann dies nicht auf der Rückseite einer Briefmarke tun. DIN A6 ist im Format gerade richtig. Achten Sie bei der Beschaffung des Taschenringbuches darauf, dass es vorn und hinten Einstecktaschen hat, damit Sie darin Ihre Notizzettel ebenfalls im A6-Format unterbringen können.

Zum Schluss dieses Abschnittes noch einen kleinen Hinweis auf die rationelle Handhabung des Ringbuch-Taschenkalenders. Bei gebundenen Taschenkalendern haben die Seiten oft unten eine Ecke perforiert, damit man nach deren Entfernung mit einem Griff die datumgemässe Seite aufschlagen kann. Interessanterweise haben das viele Ringbuch-Taschenkalender auch. Einige haben nebst dieser perforierten Ecke unten an der Seite noch ausdrück-

Abbildung 14: Blatt für noch nicht eingeplante Arbeiten, DIN A6

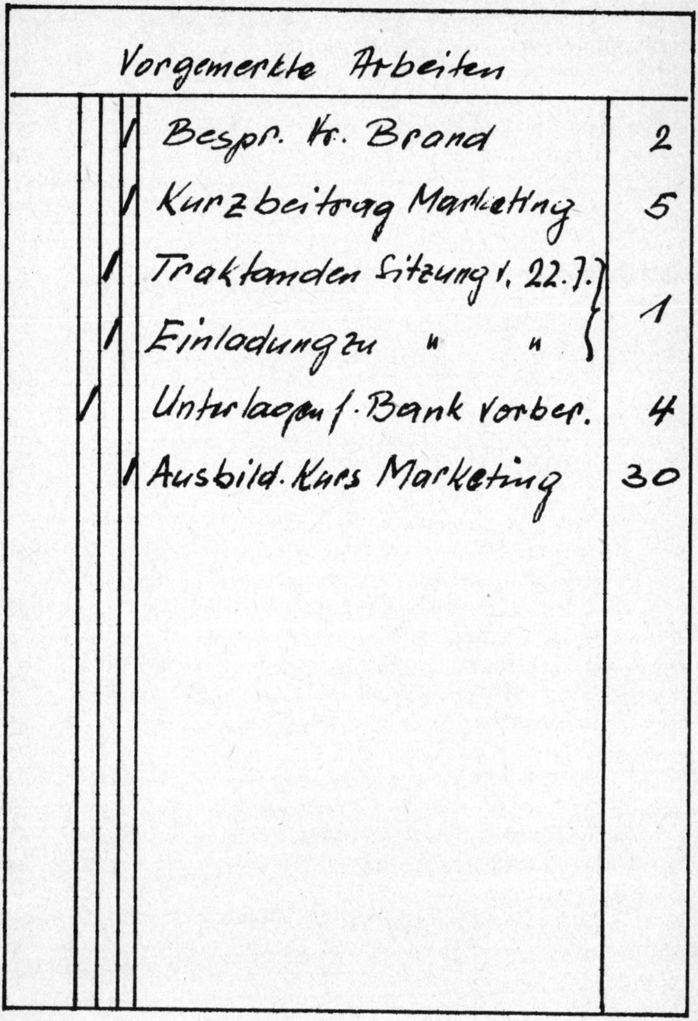

lich eine zusätzliche Möglichkeit angegeben: Oben auf der Seite ist ein Pfeil mit dem Vermerk «Hier Signal (Reiter oder Büroklammer) für laufende Woche». Dabei gibt es eine viel einfachere Möglichkeit, um auch im fortgeschrittenen Jahr mit einem Griff die richtige Seite aufzuschlagen. Sie besteht darin, dass man die erledigten Wochenblätter aus dem Ringbuch entfernt und in einem kleinen Hefter aufbewahrt. Wer jedoch gelegentlich zurückblättern muss, um etwas nachzuschlagen, der fügt die erledigten Blätter laufend hinten an. Dadurch sind die aktuellen Seiten immer vorn und lassen sich mühelos und ohne perforierte Ecken oder Büroklammern finden. Zudem müssen gegen Jahresende nicht dauernd vierzig und mehr Blätter umgeschlagen werden. Offenbar haben die Hersteller der Ringbuch-Taschenkalender diese Möglichkeit noch nicht entdeckt.
Die Tagesplanblätter werden nach Erledigung ebenfalls hinten angefügt oder fortgeworfen, wenn kein Grund zum Aufbewahren besteht. Wer allerdings auf der Blattrückseite gleich noch Tagebuch führt, muss sie wohl aufbewahren.

5.53 Tischagenda und Taschenkalender

«Doppelt genäht hält besser», sagt der Volksmund, und das könnte der Grund sein, warum neben dem Taschenkalender auch noch eine Schreibtischagenda vorhanden ist. «Viele Köche verderben den Brei», heisst eine andere Volksweisheit. Sie trifft auf die beiden Vormerkmittel weitaus besser zu, denn wer mit Taschenkalender und Schreibtischagenda unkoordiniert arbeitet, läuft Gefahr, öfters auf dieser Doppelspur zu entgleisen. Das ist immer dann der Fall, wenn die unterwegs getroffenen Terminabmachungen nicht sogleich nach der Rückkehr in die Agenda übertragen und die in der Agenda notierten Abmachungen nicht auch im Taschenkalender vorgemerkt werden. Weitaus einfacher ist es, bei der Schreibtischarbeit den Taschenkalender auf den Tisch zu legen und ihn beim Weggehen wieder einzustecken. Da der hier beschriebene Taschenkalender vom bisherigen Notbehelf zu einem ausgezeichneten Arbeitsmittel aufgewertet wird, gehört er ohnehin stets in Griffnähe.
Nun kommt gleich die Frage, wie denn bei Abwesenheit die Sekretärin Abmachungen treffen soll. Hier ist zu entscheiden, ob die Sekretärin über die Zeit ihres Chefs verfügen können soll oder nicht.

Wenn ja, überträgt sie täglich in der ersten Morgenstunde die festen Termine aus dem Taschenkalender in ihre Chefagenda und ist damit im Bild. Wenn nein, ruft sie den um Audienz Nachsuchenden nach Rückkehr des Chefs wieder an und unterbreitet ihm zwei Datum-Vorschläge.

5.54 Arbeitsstimmung ausnützen

Es gibt Menschen, die bereits in den frühen Morgenstunden voll leistungsfähig sind, und solche, die erst gegen Mittag oder sogar erst im Laufe des Nachmittags auf ihre volle Tourenzahl kommen. Der eine ist am Vormittag zu schöpferischer Arbeit disponiert, der andere erst am Nachmittag. Auf diese persönlichen Besonderheiten ist bei der Arbeitseinteilung möglichst Rücksicht zu nehmen. Anspruchsvolle Arbeiten sind auf die Tageszeiten zu verlegen, die dazu die besten Voraussetzungen bieten. Dafür sind Routinearbeiten, die weniger hohe Anforderungen an die volle geistige Präsenz stellen, in den Stunden zu erledigen, in denen man entweder noch nicht hellwach oder bereits etwas ermüdet ist.
Ähnliches gilt für Besprechungen und Besuche. Sich den Arbeitstag durch Besuche zerstückeln zu lassen, ist nicht rationell. Wo sich die Möglichkeit bietet, sollen Besuche und Besprechungen auf den Vor- oder Nachmittag zusammengefasst werden, mit einer kleinen Sicherheitsspanne dazwischen, die mit Kleinarbeiten ausgefüllt werden kann. Einen halben Tag ohne grössere Unterbrechungen arbeiten zu können, bedeutet in jedem Fall einen Gewinn.

5.6 Terminüberwachung

Für die Terminüberwachung kommen vor allem die folgenden zwei Möglichkeiten zur Anwendung.
Der zu überwachende Termin wird im Taschenkalender mit einem Stichwort vorgemerkt. Diese Art empfiehlt sich besonders dann, wenn es auf einen bestimmten Tag ankommt.
Die zweite Möglichkeit besteht darin, sich einen Hängemappen-Terminator anzulegen. Solche bestehen in zahlreichen Schreibtischen. Viele Schreibtischler erwarben sich in der ersten Begeisterung einen Satz Reiter mit den Tagesdaten 1–31 und dazu zwölf

Monatsreiter. Terminierte Akten wurden säuberlich eingeordnet und der Dinge geharrt, die da kommen sollten. Und sie kamen, aber anders als erwartet, beispielsweise telefonisch.
«Sie haben mir am 13. in dieser Garantiesache geschrieben.»
«Moment, ich nehme die Akten gleich zur Hand.»
Am 13. geschrieben, da könnten die Akten unter dem 20. stecken. Sie könnten, doch sie stecken nicht dort. Und nun geht es los: 21. – 22. – 23. – 24. – 25. – verdammt nochmal – 26. – 27. – nur einen kleinen Moment noch – 28. – 29. – können die denn so weit hinten sein? – 30. – 31. – na, dann eben rückwärts – 19. – 18. – 17. – endlich, da sind sie ja.
Die ersten paar Male nimmt man die Sucherei nicht tragisch, denn man tröstet sich damit, dass man mit dem neuen System noch nicht gegnügend vertraut ist. Schliesslich hat es sich ja andernorts bewährt, also muss es funktionieren. Eines Tages jedoch gibt man es tatsächlich auf, nicht das System, sondern das Einordnen der Akten, und damit bleibt alles beim alten, nämlich in der Kreuzbeige auf dem Schreibtisch.
Selbstverständlich kann man es einfacher haben, indem man die Originalakten in die Kundenmappe ablegt und mit einer zusätzlichen Terminatorkopie arbeitet. Dann weiss man wenigstens, wo die Originalakten zu finden sind, wenn sich der Kunde meldet. Meldet sich der Kunde nicht, erinnert uns die Terminatorkopie zur gegebenen Zeit daran, die Angelegenheit wieder aufzugreifen.
Eine andere Möglichkeit besteht darin, auf den Irrgarten 1 bis 31 zu verzichten und sich lediglich vier Wochenmappen anzulegen. Haben wir in der ersten Monatswoche geschrieben, dann müssen sich die Akten in der zweiten oder dritten Wochenmappe finden. Soll das System verfeinert werden, können die Wochen noch durch fünf oder sechs Tagesmappen ergänzt werden. Am Ende der ersten Monatswoche wird der Inhalt der zweiten Wochenmappe auf die fünf oder sechs Arbeitstage der kommenden Woche aufgeteilt. Die erste und die zweite Wochenmappe werden hinter der vierten Mappe neu eingereiht. Bei diesem System ist der Suchbereich wesentlich verkleinert und es funktioniert trotzdem.
Auch die Monatsmappen können auf die Hälfte reduziert werden, indem jede Mappe zwei Monate umfasst, nämlich

Januar	Februar	März	April	Mai	Juni
Juli	August	September	Oktober	November	Dezember

Ist der Januar-Inhalt auf die Wochenmappen verteilt, wird die Januarmappe als Juli-Mappe hinten angeschlossen. Erfahrungsgemäss sind es stets nur wenige Akten, die über drei Monate terminiert werden. Stossen wir in der Februar-Mappe auf Akten, die erst im August aktuell werden, dann lassen wir sie einfach darin stekken. Wer mit diesem System seine Erfahrungen gesammelt hat, schätzt daran besonders, dass ihm auf diese Weise gerade längerfristige Angelegenheiten zwischendurch wieder einmal in die Hand kommen und ihn daran erinnern, dass man nach der Lage der Dinge bereits jetzt etwas unternehmen kann und nicht weitere sechs Monate zuwarten muss.

Die hier geschilderten Möglichkeiten sollen vor allem zeigen, dass man nicht an einem einzigen System kleben muss, weil es nun so im Handel erhältlich ist. Jeder soll sich das System schaffen, das ihm am besten dient. In bestimmten Fällen genügen als Terminator vier Hängemappen mit der Bereiterung

A–E F–K L–R S–Z

wenn es sich um Angelegenheiten handelt, die sich meistens innert Wochenfrist erledigen und vor allem der rasche Zugriff gewahrt bleiben muss. Jeden Montag wird der Mappeninhalt überprüft und beurteilt, was verbleiben soll und was eigene Aktionen zur Folge haben muss.

6 Finden ohne zu suchen

«Armer Jacob Grimm!» schrieb in der ersten Hälfte des letzten Jahrhunderts Freiherr von Meusebach an seinen alten Freund, «treffe ich Dich auch noch unter den Unehrlichen. Zwei Mahl hast Du im IV. Bande Deiner Grammatik meinen Nahmen genannt bei Stellen, die ich Dir mittheilte. Aber ich habe soeben noch eine halbe Stunde in Dir geblättert und vielleicht noch etliche dreissig Citate gefunden, die Du nur von mir, aber so citiert hast, als habest nur Du selbst sie aus den alten seltenen Büchern gezogen. Hier blickt die Absicht, mit fremden Federn Dich zu schmücken, doch allzu deutlich hervor.»
Warum wir diesen Brief erwähnen? Weil darin ausgerechnet Jacob Grimm, der mit seinem Bruder als Begründer der wissenschaftlichen Germanistik gilt, der Vorwurf des mehrfachen Plagiats gemacht wird. Aber nicht nur deshalb. Nehmen Sie an, Sie hätten diesen Brief vollständig und nicht nur auszugsweise wie hier irgendwo gelesen. Monate oder vielleicht auch Jahre später möchten Sie, genau wie ich hier, diesen Brief im Wortlaut zitieren. Es wäre erstaunlich, wenn Sie sich noch an das Werk erinnern könnten, in dem Sie ihn damals gelesen haben. Wahrscheinlich würden Sie endlos suchen, ohne ihn zu finden. Und damit sind wir zur Kernfrage gelangt: Suchen ohne zu finden oder finden ohne zu suchen? Das ist hier die Frage. Ihr wollen wir in diesem Kapitel nachspüren.

6.1 Weg vom Schreibtisch

Die wohl häufigste Darstellung des Büromenschen in der Karikatur zeigt ihn beim Suchen von Akten. Man könnte daraus geradezu schliessen, das Suchen sei die Haupttätigkeit im Büro. Das mag sicher übertrieben sein, doch gerade Seltenheitswert hat es bestimmt nicht, kann es auch nicht haben, denn der «Werkstoff» des Büros ist das Papier. Auf ihm werden die Informationen festgehalten, die in irgendeiner Form bearbeitet, weitergeleitet und schliesslich irgendwo aufbewahrt werden müssen. Tausende von solchen Informationsträgern müssen so eingeordnet werden, dass sie sich später wieder finden lassen. Bei der täglich anfallenden Kunden- und Lieferantenkorrespondenz ist das kein Problem, denn für ihre richtige Unterbringung ist gesorgt. Probleme bietet nur das, für das nicht vorgesorgt wurde. Wohl findet man, damit es endlich vom Schreibtisch kommt, irgendwo eine Möglichkeit, doch später erinnert man sich nicht mehr daran, und dann beginnt eben das Suchen.

6.11 Adressenkartei

Zu den formatmässig kleinen Problemen gehören die Adressen. Soeben hat uns ein Vertreter verlassen. Seine Visitenkarte liegt noch auf unserem Tisch. Was sollen wir damit? In den Papierkorb? Das ist die nächstliegende und oft keineswegs zu verachtende Möglichkeit. Wir können sie aber auch in unsere Adressenkartei (Format DIN A6) stecken. Wird uns Herr Weller das nächste Mal gemeldet, haben wir die Karte mit einem Griff wieder zur Hand und wissen auch gleich, welche Firma er vertritt. Haben wir in Kurzschrift auf der Rückseite vermerkt, was wir bei seinem letzten Besuch besprachen, wird er über unser gutes Gedächtnis erstaunt sein. Auch eine Kartei kann ein Gedächtnis sein.
Handelt es sich um eine Firma, mit der wir gelegentlich in Kontakt treten wollen, kann es sogar sinnvoll sein, zwei Visitenkarten zu verlangen und die zweite unter der Firmenbezeichnung einzuordnen. Erinnern wir uns nicht mehr an den Namen des Vertreters, schlagen wir unter der Firma nach. Ohne jeden Aufwand können wir uns damit Gedächtnisstützen schaffen.

6.12 Bezugsquellenkartei

Auf ganz ähnliche Art und mit geringstem Aufwand können wir uns eine Bezugsquellenkartei aufbauen. Zeitungsanzeigen oder auch Visitenkarten von Vertretern für bestimmte Artikel, die wir gelegentlich benötigen, ohne dafür einen festen Lieferanten zu haben, ordnen wir unter dem entsprechenden Schlagwort, z. B. Dichtungsmaterial, Imprägniermittel, Klebstoff usw. ein. Wählen

Sie dafür Schlagworte, unter denen Sie dann auch wirklich suchen, also nicht etwa «Spezialklebstoff».
Wollen Sie auch Prospekte darin unterbringen, ist eine Kartei dafür nicht mehr geeignet, dafür um so besser eine Bezugsquellenablage in Hängemappen.

6.13 Telefonverzeichnis

Telefonnummern, die man wenig benötigt, pflegt man sich nicht zu notieren, sondern schlägt sie bei Bedarf im Teilnehmerverzeichnis nach. Name und Nummer rot zu unterstreichen, ist bereits eine Vorleistung für das nächste Mal. Sobald wir die richtige Seite aufgeschlagen haben, fällt unser Auge von selbst auf die unterstrichene Nummer.
Beim dritten Nachschlagen im Teilnehmerverzeichnis stellt sich die Frage, ob es sich nicht lohnen könnte, Namen und Nummer auf einen Zettel zu notieren und diesen in unsere Adressenkartei zu stecken, womit sich ein viertes Nachschlagen erübrigt. Genau so gut kann die Nummer aber auch in einem handlichen Telefonnummernregister vermerkt werden.

6.14 Korrespondenzablage

Ob die Ablage in Ordner oder in Hängemappen zweckmässiger ist, sei hier dahingestellt. Für und gegen beides lassen sich Gründe finden. Im einen Fall ist dieses, im anderen Fall jenes besser.
Erwähnenswert, weil kaum je gemacht, scheint uns hier folgende Überlegung zu sein: Handelt es sich bei dem abzulegenden Schriftgut um solches von Tageswert, Jahreswert oder Dauerwert? Tageswert haben Mitteilungen, das Werk sei wegen Betriebsferien geschlossen. Sind die Betriebsferien vorüber, ist die Mitteilung absolut bedeutungslos und nicht aufbewahrungswürdig. Umgekehrt gibt es Akten von Dauerwert, die in die normale Ablage wandern und nach Ablauf der Aufbewahrungsfrist spurlos verschwinden. Manche Firma konnte ihre Firmengeschichte nur noch lückenhaft aufzeichnen, weil wichtigste Dokumente nicht mehr vorhanden waren. Damit sei keineswegs der unnötigen Aufbewahrung das Wort geredet. Ganz im Gegenteil. Durch kluges

Scheiden bereits beim Ablegen kann manches nach verhältnismässig kurzer Zeit unbesehen und ohne Schaden vernichtet werden, denn das Wichtige und Aufbewahrungswürdige wurde bereits ausgeschieden und gesondert aufbewahrt.

6.15 Vereins- und Vorstandsakten

In diesem Bereich lässt sich manches Kuriosum entdecken. Nicht selten werden die Akten in der Reihenfolge ihres Eintreffens in einen Ordner abgeheftet, ohne bestimmte Ordnung und ohne jede Unterteilung. Statuten, Satzungen und Reglementen kommt grundsätzliche Bedeutung zu und rechtfertigt ein entsprechend angeschriebenes Zwischenblatt. Jahresberichte und Jahresrechnungen lassen sich ebenfalls zusammenfassen. Und auch für die Sitzungsprotokolle lohnt sich ein Zwischenblatt. Mit einiger Überlegung lässt sich leicht eine sinnvolle Unterteilung finden, die späteres Nachschlagen sehr erleichtert.
Wer als Vorsitzender darüber zu wachen hat, dass frühere Beschlüsse auch eingehalten werden, wird die Protokolle nicht einfach einheften, sondern sie zuvor fotokopieren und die einzelnen Beschlüsse ausschneiden, um sie sachgebietsmässig zusammenzufassen. Dabei ist wichtig, dass auf jeden Ausschnitt das Datum der Beschlussfassung bzw. des Protokolls vermerkt wird. Die Ausschnitte werden vorteilhafterweise auf A4-Bogen aufgeklebt. Was in den Protokollen über Jahre zerstreut ist, rückt damit auf den mit «Rechnungswesen», «Rabattgewährung» usw. überschriebenen Bogen übersichtlich und griffbereit zusammen.

6.2 Informationen-Fülle und -Überfülle

Fachleute haben ausgerechnet, dass sich der Informationsstoff von 1900 bis 1950 verdoppelt hat. Die nächste Verdoppelung brauchte noch zehn Jahre, nämlich bis 1960, und die weitere Verdoppelung benötigte nur noch sechs Jahre. Es wurde auch festgestellt, dass das Wachstum der wissenschaftlich-technischen Informationen wesentlich grösser ist als dasjenige der Wissenschafter. Die Zahl der wissenschaftlichen Zeitschriften verdoppelt sich

in 15 Jahren, die Zahl der Fachaufsätze und Patente in 9 Jahren, die Zahl der Wissenschafter dagegen nur alle 21 Jahre.
Angesichts dieser Tatsachen kann man sich wahrlich fragen, ob es sich dabei um eine Informationen-Fülle oder um eine -Überfülle handelt. Wie soll man sie meistern? Und wie kann man sich der – wie eine spitze Zunge sie treffend nannte – vagabundierenden Informationen erwehren, also jener Informationen, die wir gar nicht benötigen und trotzdem verabreicht erhalten, weil Radio und Fernsehen und auch andere Medien sie über uns ergiessen?

6.21 Lesen und vergessen

Fragen wir uns, nachdem wir soeben die letzten Meldungen am Radio oder am Bildschirm vernommen haben, was uns davon im Gedächtnis zurückgeblieben ist, dann ist es erstaunlich wenig. Offensichtlich nimmt unser Gedächtnis gar nicht auf, was uns nicht interessiert.
Wie steht es nun mit dem Lesen? Lesen wir zu viel oder zu wenig? Die Frage lässt sich kaum generell beantworten. Fragen wir uns auf der letzten Seite einer soeben gelesenen Zeitung, was wir davon behalten haben, ist es auch hier erstaunlich wenig. Dabei haben wir jedoch kaum das Gefühl des Verlustes. Lesen und vergessen scheint für viele Informationen, mit denen wir nichts anzufangen wissen, durchaus richtig zu sein. Was geschieht jedoch mit den für uns wichtigen Informationen?

6.22 Lesen und auswerten

Um zu finden, was für uns von Bedeutung sein kann, müssen wir auch Informationen zur Kenntnis nehmen, die für uns nicht wesentlich sind. Deshalb können wir sie auch wieder vergessen.
Bei den für uns wesentlichen Informationen müssen wir unterscheiden zwischen solchen, die uns jetzt nützlich sind, und solchen, die uns später einmal nützlich sein können. Die erste Kategorie müssen wir richtig zur Kenntnis nehmen, indem wir sie gründlich studieren. Können wir den Informationsgehalt gleich verwerten und haben wir später keinen Bedarf mehr dafür, dann erübrigt sich das Aufbewahren und Einordnen. Hat die Information jedoch mehr als nur Tageswert, stellt sich die Frage, wie wir sie für

den späteren Gebrauch aufbewahren sollen. Darüber werden wir uns gleich unterhalten. Zuvor jedoch kurz noch eine andere Überlegung.

6.23 Nichtlesen und behalten

Informationen, die uns später einmal mit einer gewissen Wahrscheinlichkeit nützlich sein können, für die wir jedoch im Moment keine Verwendung haben, müssen wir nur so weit lesen, bis wir erkannt haben, dass ihr Inhalt wesentlich, aber für den Moment nicht benutzbar ist. Weiterzulesen hat keinen Zweck, denn bis wir die Information wirklich benötigen, haben wir den Inhalt längst vergessen. Nichtlesen und doch behalten bedeutet in diesem Fall: die Information für später so aufheben, dass wir sie bei Bedarf nur abrufen können.

6.3 Gespeichertes Wissen auf Abruf

Es ist völlig ausgeschlossen, die heutige Informationsfülle im Kopf behalten zu können. Also bleibt uns nichts anderes übrig, als uns einen zusätzlichen Informationenspeicher zu schaffen, der so zuverlässig funktioniert, dass sich der Aufwand für das Aufbewahren der Informationen lohnt. *Finden ohne zu suchen* muss das Losungswort dafür sein. Die Lösung liegt im richtigen Ordnungssystem.

6.31 Schlagwort-Ablage

Der erste Versuch, Sachwissen geordnet aufzubewahren, beginnt oft damit, dass man sich einen Ordner mit einem Leitalphabet zulegt und die einzelnen Dokumente nach Schlagworten einzuordnen beginnt. Dabei ergeben sich schon gleich zu Beginn die ersten Probleme. Man ordnet eine technische Abhandlung unter «Telefon» ein und sucht sie später unter «Fernsprecher», wo sie nicht zu finden ist. Frachtschiffe kommen unter F, Segelschiffe unter S, Ruderboote unter R und U-Boote unter U. Flugzeuge landen nach dieser Ablageordnung zwangsläufig neben den Frachtschiffen, die

Segelflugzeuge kommen zu den Segelschiffen, Radar zu den Ruderbooten. Unter dem gleichen Buchstaben können sich völlig verschiedene Dinge ansammeln, beispielsweise Überstunden, Ultraschall, Umweltschutz, Unendlichkeit, Unfälle, Unkraut, Universum, Unterhaltung, Unteroffizier, Unterseeboot und USA.
Damit ist kaum geholfen, weil zusammengehörende Dinge, wie beispielsweise die verschiedenen Schiffstypen, an ganz verschiedenen Stellen zu suchen sind. Um das zu vermeiden, müssen die Unterbegriffe unter Oberbegriffen gesammelt werden. Die verschiedenen Schiffstypen müssen somit unter dem Oberbegriff «Schiffe» eingeordnet werden.
Sobald die Unterlagensammlung einen gewissen Umfang angenommen hat, wird ein Schlagwortverzeichnis unerlässlich, damit wir nicht unter «Flugwesen» suchen, was wir unter «Luftfahrt» eingeordnet haben. Durch die Wahl dieser Oberbegriffe haben wir übrigens bereits den ersten Schritt zu einem System gemacht, das für uns nützlicher sein kann, nämlich zur

6.32 Sachgebiets-Ablage

Seefahrt und Luftfahrt sind Sachgebiete, ebenfalls Technik, Betriebswirtschaft und Kunst. Die Informationen werden in diesem Fall nicht mehr nach Schlagworten eingeordnet, sondern dem entsprechenden Sachgebiet zugeordnet. Der zunehmende Umfang innerhalb der Sachgebiete zwingt auch hier zu einer zusätzlichen Unterteilung, und da beginnen für jeden, der sich sein eigenes System schaffen will, die Schwierigkeiten mit der systematischen Gliederung, denn Seefahrt, Luftfahrt und Technik, die wir soeben noch nebeneinander aufgezählt haben, stehen in der Systematik nicht auf der gleichen Stufe nebeneinander, weil Schiffe und Flugzeuge unter den Oberbegriff «Technik» gehören – kurz und gut: Hände weg von selbstgebastelten Klassifikationssystemen. Entweder bleiben sie dauernd unbefriedigend, weil unvollständig, oder aber Sie stecken zu viel Zeit in eine Sache, die zu schaffen überflüssig ist, weil sie bereits besteht.

6.33 Dezimalklassifikation (DK)

Die internationale Dezimalklassifikation wurde im letzten Jahrhundert durch einen amerikanischen Bibliothekar begründet, der sich darüber ärgerte, dass jede Bibliothek ein anderes Klassifikationssystem benützte und eine internationale Verständigung schwierig war, weil die Schlagworte in jeder Sprache anders lauteten.
Das von ihm begonnene Klassifikationssystem wurde seither immer weiter ausgebaut und von den meisten Bibliotheken übernommen. Mag es auch gewisse Mängel haben, so darf trotzdem gesagt werden, dass uns mit der internationalen Dezimalklassifikation eine umfassende und gut ausgebaute systematische Gliederung des menschlichen Wissens zur Verfügung steht.
Dezimalklassifikation heisst Gliederung nach dem Zehnersystem. Das gesamte menschliche Wissen ist in die folgenden zehn Hauptabteilungen aufgeteilt:

0 Allgemeines
1 Philosophie
2 Religion. Theologie
3 Sozialwissenschaften. Recht. Verwaltung
4 Sprachwissenschaft. Philologie
5 Mathematik. Naturwissenschaften
6 Angewandte Wissenschaften. Medizin. Technik
7 Kunst. Architektur. Photographie. Musik. Unterhaltung. Sport
8 Literaturwissenschaft. Schöne Literatur
9 Geographie. Biographien. Geschichte

Diese zehn Hauptabteilungen werden nun immer weiter aufgegliedert, bis hinunter zu den kleinsten Einzelbegriffen. An einem Beispiel dargestellt, sieht das so aus:

6 Angewandte Wissenschaften. Medizin. Technik
65 Betriebsführung und Organisation von Industrie, Handel und Verkehr
651 Bürowesen. Bürotechnik. Büroarbeiten
651.5 Geschäftsakten. Registraturen. Archive
651.53 Ordnungsverfahren für Schriftgutablage

In der Untergruppe 651.53 werden nun die verschiedenen Ordnungsverfahren aufgezählt.

651.53	Ordnungsverfahren für Schriftgutablage
.531.	Grundlagen der Ordnung
.1	Arten
.11	nach sachlichen Gesichtspunkten. Ablage nach Gegenständen
.12	nach örtlichen Gesichtspunkten
.13	nach der Zeit. Chronologische Ablage
.14	nach der Form, nach Grössen und Formaten
.15	nach der Sprache
.16	nach Personen (Urheber, Versender oder Empfänger)
.17	nach Diensten oder Amtshandlungen
.18	nach der Wichtigkeit, Dringlichkeit
.533	Ordnungssysteme
.2	Alphabetische und alphabetisch-numerische Ordnung
.22	Einfache alphabetische Ordnung
.23	Systematisch-alphabetische Ordnung
.25	Alphabetisch-numerische Ordnung
.4	Numerische Ordnung
.41	Fortlaufende Benummerung
.42	Zehnerung
.49	Sonstige Benummerungen
.6	Gemischte Ordnung. Verbindung von Buchstaben oder Worten mit Zahlen
.534	Systemlose Ablage
.537	Vorbehandlung des Schriftgutes für die Schriftgutablage
.538	Sortieren. Hilfsmittel. Sortierkästen usw.

Die Vorteile, die dieses dekadische System zu bieten vermag, kann nur der erkennen und richtig schätzen, der sich mit der internationalen Dezimalklassifikation genügend vertraut gemacht hat. Bei der Vielzahl von Leuten, die Dokumentationsprobleme haben, scheinen nur verschwindend wenige den Nutzen dieses Systems erkannt zu haben, dessen wesentlichster Vorteil darin liegt, dass man damit ganz bescheiden anfangen kann. Zehn Hängemappen reichen für den Beginn aus, um in den aufgeführten Hauptgruppen 0 bis 9 aufzunehmen, was sonst ungeordnet herumliegt. Nimmt eine dieser Hauptabteilungen an Umfang so zu, dass eine weitere Unterteilung notwendig erscheint, lässt sich diese auf die einfachste Weise vornehmen. Wie sehr die Dokumentation auch wächst – in diesem System sind ihr keine Grenzen gesetzt, denn es reicht weit über den Bereich hinaus, den wir mit unserem Wissensdurst beanspruchen können.

Noch wesentlicher ist jedoch, dass wir die nach diesem System klassierten Unterlagen tatsächlich finden können, ohne suchen zu müssen. Haben wir uns mit Währungsfragen auseinanderzusetzen, genügt ein Griff nach 332.4, und schon breitet sich vor uns aus, was wir darüber im Laufe der Zeit gesammelt und vorgemerkt haben. Werden Sie gebeten, einen Vortrag über elektrische Entladungen in verdünnten Gasen zu halten, dann finden Sie unter 537.525 alles, was Sie je darüber gespeichert haben. Sollten Sie jedoch nicht dem Bereich der Technik angehören und sich mehr zur Musik als zur Elektrizität hingezogen fühlen, so kommen auch Sie nicht zu kurz. Alphorn und Dudelsack finden Sie unter 788.9, Musik für Xylophone dagegen unter 789.6. Weniger alltägliche Dinge haben etwas längere Ordnungsnummern. Die Farbwahrnehmung als Sinnesempfindung ist unter 159.937.5 klassiert und Schleichhandel unter 381.829.3.

Lassen Sie sich durch die langen Ordnungsnummern nicht erschrecken. Sie kommen Ihnen nur fremd vor, so lange Sie nicht selber mit der Dezimalklassifikation arbeiten. Sobald Sie sich jedoch mit dieser Klassifikationsart einmal vertraut gemacht haben, werden die Nummern problemlos.

Hier auf Einzelheiten der Dezimalklassifikation einzugehen, erübrigt sich. Wenn Sie damit arbeiten wollen, dann benötigen Sie dazu die Deutsche Kurzausgabe der Dezimal-Klassifikation[4]. Sie kostet etwa zehnmal so viel wie dieses Taschenbuch, doch fällt der Preis, stellen Sie ihn dem Nutzen gegenüber, gar nicht ins Gewicht.

[4] DK Dezimalklassifikation, Deutsche Kurzausgabe. 4. vollständig überarbeitete Auflage. Berlin, Köln: Beuth-Vertrieb GmbH. 1973

6.4 Persönliche Wissenskartei

Wir sprachen davon, dass die heutige Informationsfülle unmöglich im Kopf gespeichert werden kann und wir uns deshalb durch eine gut angelegte Dokumentation einen zusätzlichen Informationsspeicher schaffen müssen, wenn wir dieses Wissen für unsere Arbeit nutzen wollen.

Durch dieses ganze Taschenbuch hindurch haben wir dafür plädiert, einmal geleistete Denkarbeit mehrfach auszunutzen, gute, jedoch im Moment nicht realisierbare Ideen für später aufzuheben und Wissenswertes, das uns früher oder später die Arbeit erleichtern kann, auf Abruf bereit zu halten. Den Schlüssel zu diesem Wissen haben wir soeben kurz beschrieben. Er gibt uns an, wo wir die einzelnen Angaben zu speichern haben, damit wir sie bei Bedarf auch tatsächlich und auf Anhieb wieder finden.

Der eine Wissensspeicher besteht in einer Kartei, die wir als unsere Wissenskartei bezeichnen wollen. Dazu haben wir das Format DIN A6 vorgeschlagen, weil die Karteiblätter genügend Raum zur Aufnahme unserer Notizen bieten und das Format in jeder Normschreibtischschublade untergebracht werden kann. Das praktische Vorgehen ist nun folgendes: In einem Fachvortrag notieren wir uns branchenübliche Abschreibungssätze. Da diese Notiz für uns erst beim nächsten Jahresabschluss benötigt wird, ordnen wir sie in unsere Wissenskartei ein (657.372.3 Abschreibungen. Amortisierung) und können sie vergessen. Ein Geschäftsfreund lobt seinen Patentanwalt als ausserordentlich fachkundig. Da wir selber in absehbarer Zeit eine Patentangelegenheit zu verfolgen haben, notieren wir die Adresse und ordnen sie in unsere Kartei ein (608.3 Patentwesen). In einer Fachzeitschrift finden wir in einer kurzen Notiz Kennzahlen über das Zahlenverhältnis zwischen Angestellten und Arbeitern in den verschiedenen Branchen. Wir schneiden die Notiz aus und kleben sie auf einen Karteizettel, vermerken die Quelle und ordnen ihn ein (658.3.012.323 Zahlenverhältnis zwischen Angestellten und Arbeitern). In einer anderen Fachzeitschrift finden wir die Besprechung eines vorzüglichen Werkes über das Fiskalrecht. Im Moment haben wir zu seiner Lektüre keine Zeit, doch gelegentlich wollen wir uns damit doch eingehender befassen. Also ausschneiden, Quelle vermerken und einordnen (351.713 Fiskalrecht. Steuern. Abgaben). Es kommen uns einige Gedanken über die rationelle Ausführung bestimmter

Büroarbeiten, die wir in eine geplante Anleitung für unser Personal aufnehmen wollen. Notieren und einordnen, und was uns später dazu einfällt, notieren wir wieder und ordnen es ebenfalls ein (651.011.4 Rationelle Arbeitsverfahren).
Beim Einordnen halten wir uns an den genannten Schlüssel, nämlich an die Deutsche Kurzausgabe der Dezimal-Klassifikation, und beim Nachschlagen ebenfalls. Deshalb finden wir, ohne suchen zu müssen. Mit einiger Übung haben wir die wesentlichen Ordnungszahlen im Kopf und beherrschen unsere Wissenskartei genau so sicher wie der Pianist die Klaviatur. Bevor wir uns den Kopf über etwas zerbrechen, schlagen wir rasch nach, und dann kann es durchaus sein, dass bereits vorhanden ist, was wir benötigen.
Verwenden Sie für Ihre Wissenskartei keine Karteikarten, weil diese zu dick auftragen. Karierte Blätter, wie man sie von den Notizblöcken her kennt, genügen vollauf. Tragen Sie davon stets einen kleinen Vorrat in Ihrem Taschenkalender oder in der Brieftasche bei sich, damit Sie Ihre Notizen gleich einordnungsfertig erstellen können und nicht erst noch übertragen müssen.
Falls Sie übrigens Ihr Wissen in einer öffentlichen Bibliothek zusätzlich ergänzen wollen, werden Sie sich dort mühelos in den Zettelkästen zurechtfinden, denn in den meisten Bibliotheken basiert der Zettelkatalog auf der internationalen Dezimalklassifikation.
Abbildung 15 zeigt einen Karteizettel, wie sie in Bibliotheken üblich sind. In Abbildung 16 ist eine Notiz wiedergegeben, die ich meiner Wissenskartei entnommen habe. Wie Sie Ihre Notizzettel gestalten wollen, bleibt Ihnen überlassen. Vergessen Sie jedoch

Abbildung 15: Karteizettel für Bibliotheken

DK 007:681.3
Gianpietro Dinner: **Die Organisation des Wissens in der Unternehmung.** Beispiel einer EDV-gestützten Wissensinventur
io – Industrielle Organisation 44 (1975) Nr. 6, S. 286–290
5 S., 2 Abb.
... wird wichtiger als die Organisation der Arbeit – Zielsetzungen – Lösung – Nutzen des «Skills Inventory» – Nötige Voraussetzungen – Erfahrungen sehr positiv! – Das System wird weiterentwickelt

Abbildung 16: Karteizettel aus persönlicher Wissenskartei

17

Ueber die Philosophie von Arbeitern und Angestellten

H.P. Richter, Mainz
Mensch und Arbeit 11(1959)4, 107-108

Schlussfolgerung des interessanten Beitrages:

"Jahrtausende philosophischer Tradition sind am Volk offenbar spurlos vorübergegangen. Generationen von Philosophen haben nichts weiter vermocht als dem Volk einige Phrasen zu vermitteln, die 'Bildung' dokumentieren sollen. Von dem platonischen Ideal, die Philosophen als Führer des Volkes zu sehen, sind wir unendlich weit entfernt. Die Kluft zwischen Volk und Philosophie ist so gross, dass keine Brücke hinüber reicht."

nicht, auf jedem Zettel die DK-Nummer zu vermerken, denn die der Kartei entnommenen Zettel müssen einmal wieder eingeordnet werden, und da wir uns nur einmal den Kopf über eine Angelegenheit zerbrechen wollen, kommt gleich vor dem ersten Einordnen die DK-Nummer darauf. Damit wird das spätere Zurückstellen zur reinen Routinesache.

6.5 Unterlagen-Registratur

In unsere Wissenskartei stecken wir nur Notizen im Format A6 oder solche, die sich leicht auf dieses Format falten lassen, jedoch keine mehrseitigen Akten, die gefaltet dick auftragen und so viel Platz beanspruchen wie fünfzig Karteizettel.
Was über das Zettelformat hinausgeht, legen wir in unsere ebenfalls DK-geordnete Hängeregistratur ab. Wie bereits erwähnt, kann diese Registratur mit zehn Mappen für die Hauptabteilungen begonnen werden. Erweiterungen werden nach Bedarf vorgenommen. Üblicherweise wachsen die besonderen Interessenbereiche stark an. Ingenieure und Techniker werden vor allem die Hauptab-

teilung 6 ausbauen, wobei Maschinenbauer insbesondere die Gruppe 621 anwachsen lassen. Kaufleute dagegen werden den grössten Mappenumfang im Bereich 65 «Handels- und Verkehrstechnik» haben.
Selbstverständlich lassen sich dazu auch Ordner mit entsprechenden Zwischenblättern verwenden, nur scheinen mir diese dazu nicht besonders geeignet, weil bei den verschiedenartigen Dokumenten die Lochung oft in den Text fällt und dadurch, wenn es der Zufall will, gerade die wichtigsten Kennzahlen um einige Stellen reduziert werden.

6.6 Zeitungen und Zeitschriften

Wichtige Informationen aus der Tageszeitung, sofern sie mehr als nur Tageswert haben und von uns später wieder einmal benötigt werden, gehören in unseren Wissensspeicher. Handelt es sich dabei nur um kurze Mitteilungen, dann kleben wir sie auf einen Karteizettel, vergessen dabei nie die Quellenangabe (Zeitung, Nummer, Datum) und ordnen sie ein. Handelt es sich um grössere Ausschnitte oder ganze Seiten, ordnen wir sie in unsere Registratur ein, die wir genau gleich benützen wie unsere Wissenskartei. Ein Nachteil ist dabei, dass die meisten Zeitungen ein Format haben, das, einmal in der Mitte gefaltet, einige Zentimeter grösser als die Hängemappen ist. In vielen Fällen kann man sich so behelfen, dass man den Zeitungsrand wegschneidet und damit das gewünschte Format erhält.
Zeitschriften kann man jahrgangweise einbinden, wenn sie wichtig genug sind, um aufbewahrt zu werden. In diesem Fall werden die wichtigen Beiträge auf Karteizettel notiert, wobei nebst dem Titel auch noch eine kurze Inhaltsangabe zur raschen Orientierung sehr nützlich ist. Auch hier darf die Quelle nicht vergessen werden. Damit jedes Suchen vermieden werden kann, sind die Seitennummern anzugeben (z. B. S. 361–368). Daraus ist auch gleich ersichtlich, dass es sich um einen Beitrag im Umfang von acht Seiten handelt.
Enthalten Zeitschriften nur vereinzelte Beiträge aus unseren speziellen Interessenbereichen, dann lohnt sich das Einbinden und Aufbewahren der ganzen Jahrgänge nicht. Was wir benötigen,

wird mit einem scharfen Messer herausgetrennt, zusammengeheftet, mit Quellenangabe und Ordnungsnummer versehen und eingeordnet.
Abbildung 17 zeigt, wie ein Literaturhinweis in unserer Kartei aussehen muss, um uns kurz und präzis zu informieren.

Arbeitsplatzgestaltung — Büros in der BRD nur Kostenstellen?

Kl.

Burghagens Zeitschr.f.Bürotechnik
73.Jg. Nr.1297, S.1184-1188, 4 Abb.,
1 Tab.

Obwohl der Einzelarbeitsplatz Ausgangspunkt für jede Organisationsform ist, arbeiten in der Bundesrepublik von den rund 10.5 Mio Büromenschen immer noch 2/3 an unzulänglichen Schreibtischen. Die Anforderungen an den brauchbaren Arbeitsplatz, dessen Anschaffungskosten zwar höher sind, der sich (gemäss tabellarischem Vergleich) unter Berücksichtigung des höheren Arbeitsertrages aber dennoch bezahlt macht.

Büfa-Dokumentation 11/70

6.7 Bücher

Gute Fachbücher, die man durcharbeiten und deren Inhalt man auswerten will, muss man sich kaufen und nicht ausleihen. Wer ausleiht, um sich die Ausgabe zu sparen, macht ein glattes Verlustgeschäft. Prüfen Sie diese Behauptung bitte selber nach, indem Sie sich ausrechnen, was Sie in der Stunde verdienen. Da Sie das Buch wahrscheinlich in Ihrer Freizeit lesen, setzen Sie nur die Hälfte des errechneten Stundensatzes ein und multiplizieren ihn mit der Anzahl Stunden, die Sie für das Buch aufgewendet haben. Der Betrag wird wesentlich höher sein als der Buchpreis. Gehört das Buch nicht Ihnen, müssen Sie es wieder zurückgeben, und Ihnen bleibt nichts als der Aufwand.

Ist das Buch jedoch Ihr Eigentum, dann können Sie damit richtig arbeiten, indem Sie die wichtigen Textstellen unterstreichen, Zweifel, Kritik und Ergänzungen in Randbemerkungen festhalten und das Inhaltsverzeichnis durch Hinweise auf wichtige Textstellen, die Sie später rasch wieder finden möchten, ergänzen. So eigenartig der Vergleich auch klingen mag, er trifft zu:
Ein Buch und eine Konservendose sind artgleich. Der Unterschied besteht lediglich darin, dass die Konservendose Nahrung für unseren Körper, das Buch dagegen Nahrung für unseren Geist enthält. Wollen wir uns diese Nahrung einverleiben, dann müssen wir sie uns erschliessen und können dann weder Buch noch Dose als unbenützt zurückgeben. Das von Ihnen durchgearbeitete Buch gewinnt an Wert, weil Sie das für Sie Wichtige durch Unterstreichungen und Anmerkungen für einen späteren raschen Zugriff vorbereitet haben.
Damit werden Sie es jedoch in vielen Fällen nicht bewenden lassen, weil Sie wichtige Stellen in kurzen Auszügen, vielleicht sogar nur stichwortartig, in die Wissenskartei übernehmen und dadurch das Buch in Ihren Wissensspeicher mit einbeziehen. Wollen Sie mehr wissen als auf der Notiz steht, dann schlagen Sie im Buch nach. Das können Sie jedoch nur, wenn es Ihnen gehört und in Ihren Regalen steht.
Fachbücher nur lesen, ohne ihren Inhalt richtig zu erschliessen und in das zentrale Wissenssystem mit einzubeziehen, ist ein Aufwand ohne genügenden Ertrag. Haben Sie sich schon einmal überlegt, wieviel ungenütztes Wissen in Ihren Bücherregalen steht? Gewiss, Sie haben die Bücher vor Monaten oder Jahren einmal gelesen und als aufbewahrungswürdig befunden, seither jedoch zum grössten Teil wieder vergessen, was darin steht. Hier hilft Ihnen Ihre Wissenskartei, immer wieder neuen Nutzen aus Ihrer persönlichen Fachbücherei zu ziehen.

7 Vom Wort zur Tat

Im Freundeskreis sprachen wir über die Verbesserung der persönlichen Arbeitstechnik. Martin, der Spezialist für Dokumentationsfragen, hatte mit einigen Beispielen Willy, den Unternehmer, vom Nutzen einer ausgefeilten Arbeitstechnik zu überzeugen versucht.
«Für den, der daran glaubt, mag das alles gut und recht sein, doch für mich sehe ich dabei keinen Nutzen!» wandte Hermann, der Geschäftsführer eines Vorstadt-Lichtspieltheaters ein. «Ob ich meine Büroarbeiten schneller oder langsamer erledige, hat überhaupt keinen Einfluss auf das Ergebnis. Wichtig ist nur, dass ich die richtigen Filme im Programm habe, denn nur diese bringen mir Leute ins Haus und Geld in die Kasse.»
«Das will ich dir gern glauben», mischte sich Willy ein, «denn die Schreibtischarbeit macht bei dir nur einen kleinen Teil deiner Arbeitszeit aus. Der Nutzen der Arbeitstechnik ist zweifellos von Beruf zu Beruf recht unterschiedlich. Was ich dagegen einzuwenden habe, ist, dass Martin bei der Lobpreisung seiner Arbeitstechnik doch weitgehend selbstverständliche Dinge aufgezählt hat, auf die jeder mit einigem Nachdenken ganz von selbst kommt. Und dann tut er sie eben auch, ohne dazu einen grossen Trommelwirbel zu schlagen.»
«Heisst das, dass du alle die Anregungen von Martin bereits verwirklicht hast?» wollte Roland wissen.
«Nun, einige schon, andere nicht.»
«Wenn es sich, wie du sagtest, um selbstverständliche Dinge handelt», bohrte Roland weiter, «ist es da nicht eigenartig, dass du nur einen Teil dieser selbstverständlichen Dinge tust? Selbstverständliches nicht zu tun, ist doch eigentlich unlogisch. Das bedeutet doch nichts anderes, als den kurzen Weg zum Ziel zu kennen und trotzdem den längeren zu wählen. Hast du dafür eine Begründung?»
Willy sah sich in die Enge getrieben und gestand ehrlich: «Wenn ich es mir aus dieser Sicht überlege, habe ich tatsächlich keine Begründung dafür. Was Martin sagte, schien mir so selbstver-

ständlich und naheliegend, dass ich den Eindruck hatte, ich würde es ungefähr ähnlich tun wie er, weil man es ja gar nicht viel anders tun kann. Bei näherer Betrachtung scheint mir diese Überlegung jedoch ein Trugschluss zu sein. Offenbar ist es durchaus möglich, etwas als richtig, zweckmässig oder sogar als weitaus beste Lösung zu empfinden, ohne sich jedoch veranlasst zu sehen, es selber so zu tun.»

«Wir können sogar noch einen Schritt weitergehen», mischte sich nun Fritz, der bisher geschwiegen hatte, in die Diskussion. «Jahrelang dozierte ich meinen Studenten, wie man innerbetriebliche Transporte wirtschaftlich gestaltet. Eines Tages fragte mich meine Frau, ob für industrielle und private innerbetriebliche Kleintransporte die gleichen wirtschaftlichen Überlegungen massgebend seien. Grundsätzlich ja, war meine Antwort, und damit löste ich bei meiner Frau ein mitleidiges Lächeln aus. ‹Warum trägst du eigentlich seit sieben Jahren jeden Morgen deinen Elektrorasierer aus dem Schlafzimmer ins Badezimmer und nach dem Rasieren wieder ins Schlafzimmer?› Damit wurde mir schlagartig bewusst, dass ich täglich einen unnötigen Gang tat, und von diesem Tag an befindet sich der Apparat im Badezimmerschrank. Weil ich nahezu jeden Tag über das wirtschaftliche Verhalten in industriellen Unternehmungen dozierte, glaubte ich auch so zu handeln.»

Damit war Martin wieder in seinem Element: «Da liegt ja gerade das Problem. Wir streben in unseren Wunschträumen offenbar lieber den doppelten Salto auf dem hohen Seil an, der uns ohnehin nie gelingen wird, statt uns darin zu üben, auf dem Boden unserer täglichen Arbeit zielgerichtet Fuss vor Fuss zu setzen. Ausschlaggebend ist nicht, was wir tun wollen oder zu tun glauben, ausschlaggebend ist allein, was wir tatsächlich tun. Nun scheint es allerdings öfter zu geschehen, dass wir uns in Gedanken nicht nur mit dem Helden eines spannenden Abenteuerromans identifizieren, sondern ebenso sehr mit vielen guten Anregungen, die wir irgendwo lesen oder hören. Wir finden diese Anregungen ausgezeichnet und lassen es damit bewenden, statt sie uns anzueignen und selber anzuwenden.»

Der letzte Satz dieses hier teilweise wiedergegebenen Gesprächs gibt uns das Stichwort für unsere Schlussbetrachtung.

Wer für seine Arbeit stets genügend Zeit zur Verfügung hat, kann auf eine Verbesserung seiner Arbeitstechnik verzichten. Derjenige jedoch, der durch die Fülle seiner täglichen Aufgaben zum sparsamen Umgang mit seiner Zeit gezwungen ist, wird danach trachten, Zeit zu gewinnen. Dieses Taschenbuch will Ihnen dabei helfen. Die eine oder andere Anregung können Sie unverändert übernehmen und sofort anwenden. Der weitaus grössere Erfolg stellt sich jedoch dann ein, wenn Sie sich durch die Lektüre veranlasst fühlen, Ihre Arbeitsweise einer kritischen Prüfung zu unterwerfen und einfachere und kürzere Wege zum Ziel zu suchen. Bedenken Sie dabei stets, was in dem oben wiedergegebenen Gespräch deutlich wurde: Nicht was wir zu tun glauben oder tun wollen, ist ausschlaggebend; was wirklich zählt, ist allein das, was wir tatsächlich tun. Wenn Sie Ihre persönliche Arbeitstechnik verbessern wollen, dann beginnen Sie noch heute damit.

Die SKV-Taschenbuchreihe

SKV-Nr.

1 Scheitlin: **Meisterhaft telefonieren.** Alles Wissenswerte über Telefonverkauf und -beratung

2 Klaus: **Auch Sie können gewinnen!** an der Börse – mit Wertpapieren

3 Scheitlin: **Stehenbleiben, hersehen!** Verkauf und Demonstration an Ausstellungen

4 Graf: **Geschicktes Mahnen ist dankbar** - denn es bringt etwas ein

5 Jacobsen: **Lassen Sie sich Zeit!** Das Geheimnis der Entspannung

6 Blumenthal: **Verkaufskanonen** berichten über ihre Erfolge und geben nützliche Tips

7 Weilenmann: **Die zweckmässige Kartei** – wichtigste Nebensächlichkeit im Betrieb

8 Wagner: **Reden ist immerhin Silber.** Sprechtechnik und Rhetorik

9 Burger: **Selbstbewusstsein ist alles.** Wie kann ich im Betrieb erfolgreich sein?

10 Hermann: **Einkaufen und Einkaufen** sind zwei paar Stiefel. So kauft man ein

11 von Planta: **Der wirksame Werbetext** schafft Goodwill und verkauft

12 Bender: **Hohe Schule des Verkaufens.** Die Macht der Überzeugung

13 Weilenmann: **Gewandtheit gewinnt!** Wirksame Verhandlungstaktik und Konferenztechnik

14 Gassmann: **Protokollführung im Betrieb.** Wahr – knapp – klar

15 Scheitlin: **Betriebsklima und moderne Führungspraxis.** Kampf den Reibungsflächen im Betrieb

16 Gassmann: **Briefe an das Personal.** Gewinnen – führen – entlassen

17 Uris: **Der Weg nach oben.** Durchbruch zur leitenden Position

18 Wolff: **Das ist Datenverarbeitung.** Aufbau und Einsatz von Computern

19 Weilenmann: **Produktive Textverarbeitung.** Pille gegen die Personalknappheit im Büro

20 Winkler: **Lerne schneller, behalte länger!** Methodik und Praxis der geistigen Arbeit

SKV-Nr.

21 Müller: **Betriebsklima und Betriebserfolg.** Praktische Psychologie der zwischenmenschlichen Beziehungen

22 Weilenmann: **Arbeitstechnik im Büro.** Wege zum persönlichen Leistungserfolg

23 Känzig: **Schneller lesen – mehr behalten!** Anleitung für rationelles Lesen

24 Schmid: **Wie funktioniert die Wirtschaft?** Eine leichtverständliche Darstellung

25 Stefanic: **Schnell und richtig entscheiden.** Die Technik der Entscheidungsbildung

26 Scheitlin: **Der tüchtige Vorgesetzte.** Führungsausbildung im modernen Betrieb

27 von Planta: **So schreibt man Werbebriefe** – einfach und überzeugend

28 Weilenmann: **Der Chef und seine Sekretärin.** Wege zur erfolgreichen Zusammenarbeit

29 Weilenmann: **Instruieren will gelernt sein!** Wie kann ich mein Können und Wissen weitergeben?

30 Gassmann: **Briefe an die Kundschaft.** Gewinnen – versöhnen – benachrichtigen

31 Holzheu: **Systematischer verkaufen.** Impulse zur langfristigen Sicherstellung des Erfolges im Aussendienst

32 Amrein: **Wie funktionieren Unternehmung und Betrieb?** Grundriss der Betriebswirtschaftslehre

33 Hellmann: **Wie verärgere ich meine Mitarbeiter?** Die Kunst, Mitarbeiter falsch zu behandeln

34 Müller: **Menschenkenntnis im Betrieb.** Das psychologische Instrumentarium des Vorgesetzten

35 Stefanic: **Betriebswirtschaftliche Grundsätze der Unternehmungsführung.** Worauf es bei der Chefarbeit ankommt

36 Hunziker/Scheerer: **Betriebe brauchen Betriebsstatistik.** Einführung in die statistischen Methoden und betriebliche Kennzahlen

37 Riedel: **Der Weg zur Deckungsbeitragsrechnung.** Praxisnah und leicht verständlich

38 Gau: **Management-Praxis und -Methoden.** Eine Anleitung für den Praktiker

39 Kresse: **Die Kunst, Bilanzen zu lesen.** Anleitung zur treffsicheren Bilanzbeurteilung

40 Zbinden: **Betriebsorganisation für jedermann.** Aufgabengliederung und Arbeitsabläufe rationell gestalten

SKV-Nr.

41 Fried: **So wirbt man systematisch.** Durch die richtige Werbekonzeption zum Werbeerfolg

42 Gemper: **Mit der Geldentwertung leben.** Wie man der Inflation begegnet

43 Wetzstein: **Lerne logisch denken.** Gedankliche Klarheit als Schlüssel zum Erfolg

44 Waszkewitz: **Mitarbeiter führen und fördern.** Grundlagen der Personalarbeit

45 Holzheu: **Schwierigkeiten im Verkauf überwinden.** Bessere Verkaufsergebnisse durch richtiges Vorgehen

46 Hasenack: **Humor in der Werbung.** Zusammenhänge und Beispiele

47 Fels: **Vorträge, Reden, Diskussionen** – richtig vorbereiten, treffend formulieren, überzeugend argumentieren

48 Kübler: **Was sagt mir der Wirtschaftsteil einer Zeitung?** Vom Nutzen aktueller Informationen

49 Stampa: **Taschenlexikon moderner Bürotechnik.** Arbeitsmittel im fortschrittlichen Büro

50 Fermer: **Wie verbessere ich meine Arbeitstechnik?** Ratschläge für Schreibtisch- und andere Menschen

Die Reihe wird fortgesetzt

Jeder Band umfasst etwa 120 Seiten.
Zu beziehen durch den Buchhandel.

Verlag des Schweizerischen Kaufmännischen Vereins, Zürich